集英社文庫

水　滸　伝　一

曙光の章

北 方 謙 三

集 英 社 版

人物画　陳仁柔

書　武田双雲

水滸伝

一　曙光の章

水滸伝　一——曙光の章　目次

登場人物

林冲《りんちゅう》（豹子頭《ひょうしとう》）……禁軍武術師範代
朱仝《しゅどう》……済州鄆城県《せいしゅううんじょうけん》の騎兵隊長
関勝《かんしょう》……洪州《こうしゅう》の将軍
魯智深《ろちしん》（花和尚《かおしょう》）……放浪の僧
史進《ししん》（九紋竜《くもんりゅう》）……華州史家村《かしゅうしかそん》の保正《ほせい》の息子
呼延灼《こえんしゃく》……汝寧州《じょねいしゅう》の将軍
盧俊義《ろしゅんぎ》……北京大名府《ほっけいたいめいふ》の大商人
燕青《えんせい》……盧俊義の従者
宋江《そうこう》……鄆城県の役人
花栄《かえい》……青州《せいしゅう》の将校
武松《ぶしょう》……全国を放浪する男
戴宗《たいそう》……江州《こうしゅう》の牢役人。飛脚商売もする
雷横《らいおう》……鄆城県の歩兵部隊の将校
晁蓋《ちょうがい》（托塔天王《たくとうてんおう》）……鄆城県東渓村《とうけいそん》の保正
阮小五《げんしょうご》（短命二郎《たんめいじろう》）……汴河《べんが》の船頭

阮小二《げんしょうじ》……阮小五の兄。梁山湖《りょうざんこ》の漁師
阮小七《げんしょうしち》（活閻羅《かつえんら》）……阮小五の弟。梁山湖の漁師
燕順《えんじゅん》（錦毛虎《きんもうこ》）……青州清風山《せいふうざん》の盗賊の頭目
王英《おうえい》（矮脚虎《わいきゃっこ》）……清風山の盗賊の副頭目
鄭天寿《ていてんじゅ》（白面郎君《はくめんろうくん》）……清風山の盗賊の副頭目
柴進《さいしん》（小旋風《しょうせんぷう》）……滄州《そうしゅう》の名家の当主
公孫勝《こうそんしょう》……渭州《いしゅう》で入獄中の男
安道全《あんどうぜん》……滄州で入獄中の医師
鮑旭《ほうきょく》（喪門神《そうもんしん》）……盗っ人
呉用《ごよう》……東渓村の私塾教師
裴宣《はいせん》……京兆府《けいちょうふ》の裁判所の孔目《こうもく》
朱武《しゅぶ》……華州少華山《しょうかざん》の盗賊の頭目
陳達《ちんたつ》（跳澗虎《ちょうかんこ》）……少華山の盗賊の頭目
楊春《ようしゅん》……少華山の盗賊の頭目
薛永《せつえい》……旅の薬草売り

朱貴《しゅき》……梁山湖の辺《ほとり》の店の主

宋万《そうまん》……梁山湖の山寨《さんさい》の副頭目

秦明《しんめい》（霹靂火《へきれきか》）……青州の将軍。花栄の上官

金大堅《きんだいけん》……印鑑師

白勝《はくしょう》（白日鼠《はくじつそ》）……滄州で入獄中の盗っ人

●官軍

高俅《こうきゅう》……禁軍大将

童貫《どうかん》……禁軍元帥

李富《りふ》……禁軍監察官

蔡京《さいけい》……宰相

酆美《ほうび》……童貫の副官

畢勝《ひっしょう》……童貫の副官

●その他

王進《おうしん》……禁軍武術師範

呂栄《りょえい》……京兆府の将軍

史礼《しれい》……史家村の保正。史進の父

張藍《ちょうらん》……林冲の妻

洪師範《こうしはん》……柴進の館に出入りする男

史延《しえん》……史進の従兄

陳麗《ちんれい》……朱貴の妻

王倫《おうりん》……梁山湖の山寨の頭目

閻婆惜《えんばしゃく》……宋江の妾《めかけ》

閻新《えんしん》……閻婆惜の亡父

馬桂《ばけい》……閻婆惜の母。宋江の間者

唐牛児《とうぎゅうじ》……宋江の従者

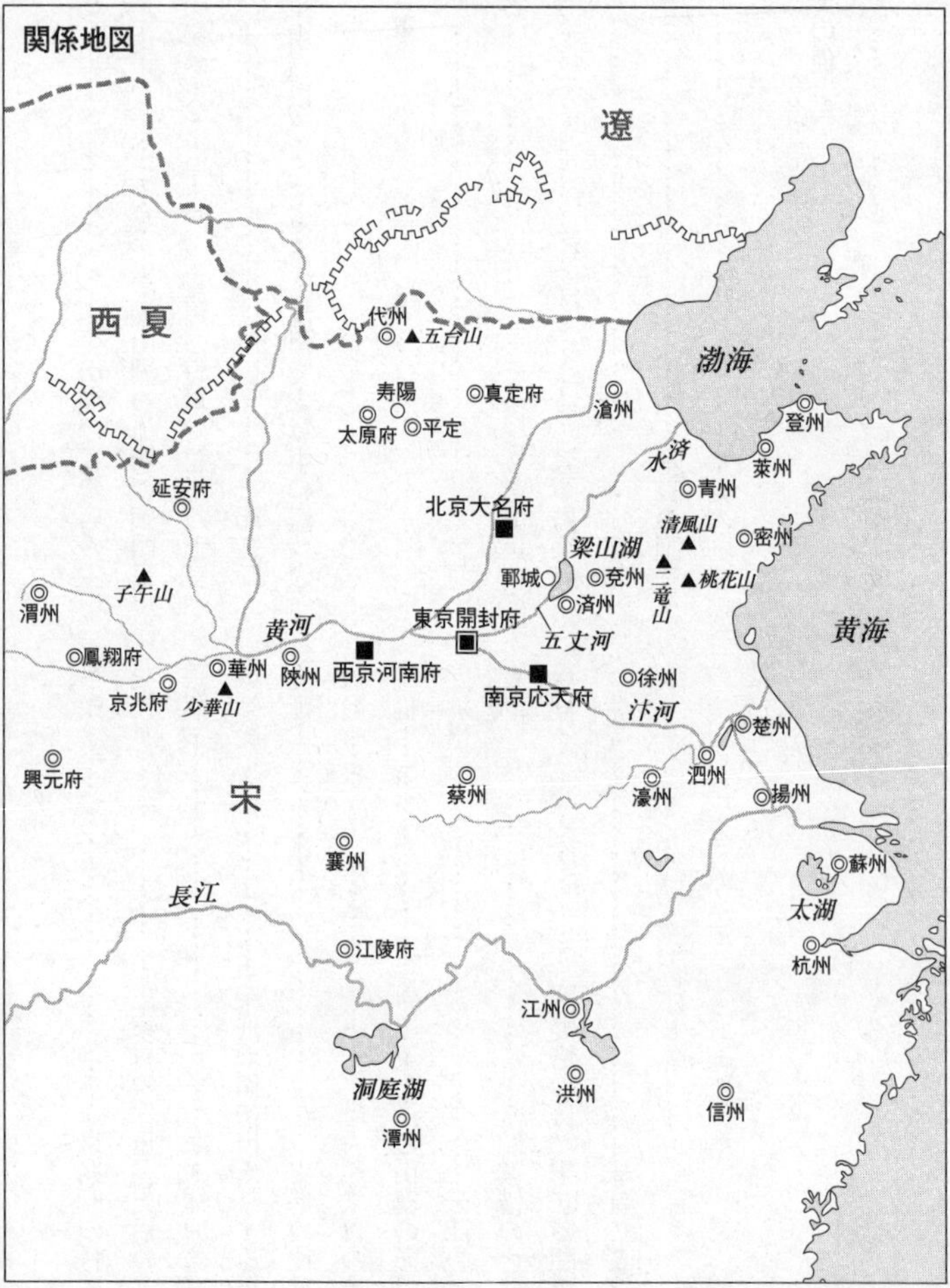

関係地図
遼
西夏
宋
代州
五台山
寿陽
真定府
太原府
平定
滄州
渤海
登州
萊州
済水
青州
延安府
北京大名府
清風山
梁山湖
密州
鄆城
兗州
二竜山
桃花山
子午山
渭州
済州
東京開封府
黄河
五丈河
黄海
鳳翔府
華州
陝州
西京河南府
南京応天府
徐州
京兆府
少華山
汴河
楚州
泗州
興元府
蔡州
濠州
揚州
襄州
蘇州
長江
太湖
江陵府
杭州
江州
洞庭湖
洪州
信州
潭州

天《てん》罡《こう》の星

一

頭ひとつ、出ていた。

人の波の中である。しかもその頭は剃髪《ていはつ》し、陽《ひ》に焼けて赤銅色に輝いていた。

もうひとつ、王進《おうしん》の眼を奪ったものがある。急いでいるようにも見えないのに、周囲の誰よりも速く歩いているのだ。さりげなく、ぶつかりそうになった人間を、巨軀《きょく》がかわす。鍛練を積んだ身のこなしだと思えた。

馬上の王進と、近づいてくるその男の眼が、束《つか》の間《ま》、合った。眼は細いが、そこから放たれてくる光は強い。尋常ではない強さだった。声をかけようとして、王進は出かかった言葉を呑《の》みこんだ。強い眼の光に、邪悪なものがなにも感じられなかったからである。

細い眼の上に、やはり細い眉《まゆ》があり、鼻はかわいいほどに小ぶりだが、口は異様に大きい。顎《あご》も張っていて、頭の鉢より大きそうだった。そして首は、顎と同じほどの太さがある。

すれ違う時、もう一度声をかけようと思ったが、やはり言葉は呑みこんだ。後ろに、十騎と四十人が従っている。一度停《と》まると、座りこんでしまう者もいるだろう。それほど、みんな疲れきっているはずだ。

普通の兵なら、難なくこなす調練だった。それが、五百回棒を振らせただけで、息をあげる。文句を言い出す者さえいるが、それには一切耳を貸さない。千回棒を振らせ、ひとりひとりと王進自身が立合い、その後十里（約五キロ）走らせた。それで、城内の兵営へ戻るのが精一杯の体力しか残っていないのだ。特に、騎馬の十人がひどかった。

これでも禁軍《きんぐん》（近衛《このえ》軍）兵士で、騎馬の者は将校だった。

名門の子弟が、禁軍に入ってくることが、このところ多くなっていた。新任の禁軍大将高俅《こうきゅう》が、それを許すのである。名門の子弟ならば、官吏にでもなればよさそうなものだが、軍には利権が満ちている。兵たちの食料だけでも厖大《ぼうだい》なものだが、ほかに軍服や武具なども常時補給される。そういうものを取り扱う部署につけば、大金が懐《ふところ》に入るのだ。

名門とは、利権を嗅《か》ぎ分ける血か、と王進は思う。この宋《そう》国の軍は、腐りつつある、とも感じる。しかし、王進は禁軍武術師範だった。父の王昇《おうしょう》の時から、そうだった。ひとりひとりの兵の腕をあげるのが、自分の使命だった。

名門の出や、その引きで禁軍に加わった者は、一年足らずの現場の指揮を経験するだけで、銭が動く部署に移る。そちらに移れば、もう王進とはほとんど関《かかわ》りはなかった。現場にいる間に、鍛えあげるしかないのだ。

「それでも禁軍兵士か。帝《みかど》を守る兵か。恥を知れ。次は剣の調練だぞ。気を抜いた者は、怪我《けが》をする。三日の間、躰《からだ》を鍛えることに専心せよ」

兵営に戻ると、五十人を並べて、王進はかすかな徒労感に襲われながら言った。ちょっと見ただけでも、腹を立てている者が何人もいる。

解散させ、王進は師範の部屋に入った。まだ残っていた林冲《りんちゆう》が、立ちあがって迎える。師範代のひとりで、槍《やり》や棒の技は非凡なものを持っていた。槍で立合えば、自分でも勝てるかどうかだ、と王進は思っている。

「教場の方は、どうだったのか、林冲？」

「童貫《どうかん》元帥直属の部隊で、さすがに音《ね》をあげる者などもなく」

童貫は、この国の軍の総帥で、戦《いくさ》好きだった。もともと、宦官《かんがん》である。女に対する欲望はないが、その分の情熱が戦に注《つ》ぎこまれているところがあった。小柄で華奢《きやしや》で、稽古《けいこ》をつけた時のことを思い出すと、武術はいまひとつだが、兵法となると舌を巻くところがある。直属の部隊は、さすがと思える精鋭を揃《そろ》えていた。

「余計なことかもしれませんが、王師範」

林冲が、直立したまま言った。

「兵を、城外に連れ出すなと言うのか。しかし、連中には体力がない。長く駈《か》けさせるためには、教場というわけにはいかん」

「そのことではありません」

「ならば、もっと余計なことだ、林冲」

王進は、この半年ばかり、上申書をたえず提出していた。禁軍に加わる者には、武術の試験を課すべきだ、という上申だった。師範と、十数名の師範代がそれをやれば、難しいことではない。しかし、反対は多く、却下され続けていた。利権を目的に入ろうという者の多くは、そこで落ちる。しかし、それを考えて上申しているわけではなかった。禁軍兵士は、精強であるべきだった。そして自分は、師範として精強に鍛えあげる任を負っている。王進の信念だった。

「師範のお考えは、私が一番よくわかっております。それがまともに受け取られるのなら、私もその上申に加わりたいほどです」

「よせ、林冲。武術家は、武術のことだけを考えてものを言えばよいのだ。いずれ、禁軍の首脳もわかってくださるだろう」

「高大将がですか。それとも、童元帥がですか？」

「私の言っていることに、間違いはないのだ。いずれ、誰かが耳を貸してくれる」

「王師範の上申書のことが、軍内で噂《うわさ》になっています。禁軍は童元帥と高大将でまとまっていますが、地方軍には二人を快く思わない将軍も多くいます」

「だからどうだというのだ」

「武術家は、武術だけ教えればよい、と私は思います」

林冲の言う通りだ、と王進も思う。しかし、それができない性格だった。

師範室付きの小者《こもの》が、茶を淹《い》れて持ってきた。こういう小者でさえ、今日の将校たちよりは、ずっと槍が遣える。

「このところ、また槍の腕をあげたのだな、林冲。奥方がよい食事をさせてくださるか」

「食事で腕があがるなら」

林冲が苦笑した。分厚い手で、林冲は茶碗を摑《つか》んだ。掌《てのひら》こそ硬いが、あとはむしろやわらかそうな手だった。

「まだ、道場で稽古をしている者がいるのか？」

「はい。朱仝殿はじめ、騎兵の皆様方が」

「朱仝か。地方の騎兵隊長として出るという話だが、別にくさってもおらんのかな、林冲？」

「くさっているから、剣を振り回しているのかもしれません」

朱仝は、禁軍の一隊を指揮してもいい実力を持っている。しかし禁軍の指揮官になっていくのも、やはり上の引きがある人間だった。実力がありながら、賄賂《わいろ》を使ったり、上におもねったりすることが嫌いな者は、大抵地方の小さな部隊の指揮官で生涯を終える。

「今日は、どの門から戻られたのですか、王師範」

「陳橋門《ちんきょうもん》から戻ってきたが、あのあたりも人が多くなった。外城の外も、ずいぶんと民家が増えている」

開封府《かいほうふ》は、内城の中にさらに宮城があり、内城を囲むように外城がある。禁軍府は当然宮城のそばだが、兵営などは外城にある。内城の中は店や大きな屋敷が多く、そこで暮すのは豊かな人間と言われていた。外城にも店は多いが、昔は小さなものばかりだったという。いまでは、その区別もつけにくくなっていた。外城の外にも、人家は拡《ひろ》がっていて、そこも含めた全部を開封府と言う。

「さて、帰るか」

王進は腰をあげた。新婚の林冲は、まだ道場で朱仝らの稽古を見ていくつもりらしい。

禁軍府が、王進につけている従僕は二名だった。道場の外で、馬を曳《ひ》いて待っていた。

道場からは、気持のいいかけ声が聞える。

道場があるので、雨の日も調練を休まなくても済む。教場は、雨が降るとひどい泥濘《ぬかるみ》になってしまうのだ。兵の調練なら、雨が降ろうと外でやるべきだと思うが、首脳部に異論が多く、道場を使っていた。戦は、晴れの日だけとはかぎらない。

家は、新酸棗門《しんさんそうもん》の近くにあった。屋敷というほどではないが、老いた母と二人で住むには広すぎた。

陽が落ちるまで、庭で棒術の稽古をした。相手は、自分自身である。日によって、剣になることもあれば、槍になることもある。弓や鉞《まさかり》なども備えてあった。この修練は、風雨の日も欠かすことがない。

母は、夕餉《ゆうげ》の仕度をしている。従僕たちは火を熾《おこ》すのを手伝うと、それぞれ門のそばの小屋で自分の生活に戻る。

稽古の時は心気を澄ませてなにも考えないが、終って水を浴びたり風呂に入っていたりすると、さまざまなことを考えた。

地方軍には、反高俅派の将軍が多い。そう林冲が言ったことを、水を浴びながら王進は思い出していた。西京河南府《せいけいかなんふ》（洛陽《らくよう》）の将軍からは、王進の上申書について、しばしば賛同の使者が来ていた。また、南では反高俅派の粛清もはじまっているという。

地方から見れば、自分は反高俅派と思われているだろう、と王進は考えた。だから、南からの使者もよく来る。しかし軍内の派閥争いについて、自分になにか力があるとは、到底思えなかった。第一、部下がひとりもいない。武術の弟子は確かに数多くいるが、それは派閥などには関係がないのだ。

北には遼《りょう》、西夏《せいか》と強力な外敵がいるので、開封府には軍首脳に近い将軍が配されているが、南には左遷された者が多かった。いま南の粛清がはじまり、その情報のほとんどは、密偵がもたらしてくるものだという。密偵は南だけでなく各地に、そして開封府にもいるという話だが、王進はあまり気にしたことがない。自ら恥じるところは、なにもないのだ。

いつものような、一日が終った。

翌朝、出仕するとすぐに、禁軍府に呼ばれた。新任の、高大将の部屋である。

高俅は、昔はならず者だったという噂もあるが、いまの帝にはなぜか眼をかけられていた。その人間について王進はよく知らないが、高俅の着任で大きな顔をするようになった禁軍将校に、ろくな者はいなかった。

「王師範、調練に名を借りて、兵を苛《いじ》めているという噂があるが、ほんとうか？」

部屋では、副官が四名、高俅の両側をかためるように立っていた。ほかに顔見知りの将軍も五名いる。

「苛めるとは、いかなる意味でしょうか。兵を厳しく鍛えあげるのは、私の任務です」

「賄賂を贈らぬ者を選んで、死すれすれの調練を課しているというではないか」

「なんと言われました。賄賂と言われましたか？」

王進の全身に殺気が満ちたのか、高俅はちょっと怯《おび》えるような表情をした。それを取り繕《つくろ》うと、机を一度叩《たた》いて指を突きつけた。

「昨日、調練で外城を出た者たちの中で、賄賂を贈った者は？」

「おりません。というより、私は賄賂など受け取ったことはありません。男に対する侮辱でありますぞ、高大将」

「ほう、男だと。童元帥が聞かれれば、さぞ喜ばれるであろう」

「童元帥と私と、なんの関りがあるのです？」

躰に怒りが満ちていたが、それでも王進は自分を失ってはいなかった。立合では、自分を失えば負けるのだ。

「童元帥のことはよい。おまえが出している上申書はなんだ。禁軍兵士に、武術試験を課すとな。それによって賄賂を増やそうとしている、という専《もっぱ》らの噂だ」

「私の上申書のどこに、誤りがありますか？」

「誤りはない」

高俅が、にやりと笑った。笑うと、口もとに下卑たものが浮かびあがる。

「かたちに、誤りはないが、試験をするのがおまえだというところに、いかさまがある。

おまえの肚《はら》ひとつで、禁軍兵士になれるかどうか決まる。まさに不正の温床ではないか」

「あの上申書を、そのようにしか受け取れないのですか。人を見損うのもはなはだしい。ならば、武術師範とは、なんなのです？」

「武術師範は、武術師範である。兵士に武術を教えるのが任務で、兵士として禁軍に加えるかどうかを決める立場ではない」

「しかし近年、禁軍兵士の質は、眼を覆いたくなるほどに落ちております」

「それは、おまえが任務を果していないからだ。それ以外に、なにがある。自らの怠慢を棚にあげて、権限だけを得ようなどと、心得違いもはなはだしい」

「私は、禁軍のためを思っているだけです。日々、兵は鍛練しております。特に弱い者は、原野に連れ出して鍛えます。それの、どこが怠慢なのです。いかに高大将であろうと、言ってよいことと悪いことがあります」

「笑止な。私を非難しているのか、王師範。ならば訊《き》く。南の将軍たちの使者と、頻繁に会っているのも任務のうちか？」

「それは」

「南の将軍は、六名ほど粛清された。その将軍たちの使者とも、おまえは会っていたであろう。そんなおまえに、禁軍の質がどうのと言う資格があるのか？」

高俅が、またにやりと笑った。

「直接加わらなかったにせよ、おまえには叛乱《はんらん》の嫌疑もある。洪州《こうしゅう》の関勝《かんしょう》将軍が、叛乱を起こそうとして失敗したと疑われた。おまえは、関勝の使者にも会っていたであろう」

確かに、洪州からの使者にも会った。そして、上申書への賛同の礼も述べた。地方の将軍が賛同してくれるのも、軍全体のことを考えれば、いいことだと思えたからだ。

上申書が、曲解されている。それは、よくわかった。弁明が、受け入れられるのか。弁明の方法があるのか。王進は、それを考えていた。

「まあよい。おまえが叛乱に加担しようとした、という証拠はなにもないのだ。まず、上申書を取り下げよ。そうすれば、私がなんとかしてやろう。おまえが、武術師範として優秀であることは、誰もが認めているのだ。三日、考える時間をやる。任務に励みながら、考えてみるとよい」

弁明しようとした王進を、高俅は掌で制した。

「任務に戻るべし、王師範」

王進は手を握りしめ、唇を嚙《か》んだ。退出するしかなかった。

師範室に戻ると、ほとんどの師範代が待っていた。王進は、なにも言わなかった。いつものように銅鑼《どら》が打ち鳴らされ、師範代はひとりふたりと、教場の方へ出ていった。

「上申書のことで、高大将に責められたのですか、王師範？」

「まあ、そんなところだ。三日、時間を貰《もら》った」

「いやな気がします、王師範。上申書は握り潰《つぶ》せば済み、そうしなくてもやめろと言えるはずです。三日の時間の意味が、私は心配です」

林冲は、すぐに教場に行こうとしなかった。ほかにも、心配そうな表情で残っている者が四人ほどいる。

「これは私の問題だ。みんな、調練に影響を出すのではないぞ」

王進は、今日も平原での調練を予定していた。それを変えようとは思わなかった。

今日は歩兵の将校五十名で、きのうよりはいくらか骨のある者が揃っていた。

新曹門《しんそうもん》から外城を出た。騎馬がいる場合とは、歩く道筋が違う。途中から道をはずれ、崖《がけ》に近いところを這《は》い登ったりするのだ。こういう調練は、実は隊の隊長の仕事だが、体力をつけるためにも、武術調練に王進は加えていた。

調練をはじめると、高俅の言葉も、ほかのことも、王進はすべて忘れた。

二

深夜だった。

王進は、音をたてないようにして、庭へ出た。人の気配がある。ただ殺気は感じられず、外に誰かがいるということを、教えているような気配でもあった。

月の光があった。それだけではなく、そのたたずまいから、相手が誰であるか、王進にはすぐにわかった。

一昨日、その男には会っている。いや、擦《す》れ違った、と言うべきか。赤銅色の剃髪した頭が、いまは黒い影に見えている。

「魯智深《ろちしん》と申す者です。この頭ゆえ、花和尚《かおしょう》とも呼ばれております」

「ここはわが家の庭で、名乗れば入ったことが許されるというわけではない。まして、この夜更けだ」

「王進殿と、話し合いたいことがあります」

「ならば、訪《おとな》いを入れればよかろう。深夜に庭に侵入し、話し合いでもない」

「王進殿が、このようにして出てきてくださるだろう、と私は信じていました。庭に立ち、訪いを入れたつもりです」

「なるほど」

気配だけ発して、こちらに悟らせた。それが訪いというわけなのか。

「面白いな。そして見事だ。訪いを受けたことにして、話だけは聞こう」

庭の隅まで、魯智深という坊主は歩いた。まったく気配を発しない。王進はそれに続き、椎《しい》の木のかげでむき合って立った。

「無理をされています、王進殿は」

「どういう無理を？」

「禁軍改革について。しかしそれは、軍首脳の恨みを買うだけです。この国では、そうなのです。まともな考えが、通らない。利を漁《あさ》る者が、堂々と生きすぎているのです」

「改革はよいのです。しかし、禁軍改革は私の使命だと思っているが、それをよせと？」

「直属の軍が、精強になる」

「まず、無駄なことでしょう。強くなりたい禁軍兵士の数は少なく、その者たちは別に改革しなくても強いのですから。残りの者は、いまのままがいいと思っています」

「それを改革するのだ。私の仕事は、ひとりひとりの兵を強くすることだからな」

「立派なお考えを持っておられる。だから私は無礼を承知で、深夜の訪いをしました。しかし、立派であるが狭い、と私は思います。心惹《ひ》かれる方ゆえに、もう少し視界を拡げたらいかがかと、伝えたくなってしまったのです。禁軍というものにとらわれなければ、王進殿の眼には、もっと別のものが見えてくるだろうと思うのです」

「なにが見えてくるのか、私には想像もつかない。第一、それを見るのが、私の使命ではないのだ」

「禁軍武術師範として、禁軍を改革しようと思っておられる。ならば、この国の民のひとりとして、この国を改革しようとは思われませんか？」

「国を？」

「禁軍だけの改革など、国全体にとって、大した意味はありません。禁軍以外の軍も、腐りかけております。上から下まで、役人も腐っております。それと結びついた商人もまた。だから、この国を改革する、という気持を王進殿には持っていただきたかった」

「その任ではない。またその器《うつわ》でも」

「民のひとりでしょう、王進殿も」

雲が出てきたのか、月の光が時々消えた。そのたびに、魯智深の眼の光だけが強くなる。不思議な男だ、と王進は思った。こうして喋《しゃべ》っていても、不快さがまったくないのだ。

「私は、禁軍の改革に、微力を尽す。それは、たまたま私が禁軍武術師範だからだ。私が農夫ならば、ひと粒の麦を立派に実らせるために力を尽すだろう。人は、それぞれにそうやって生きていけばよいと思う」

「まさしく。先生のような師を持てて、禁軍兵士は幸せなはずなのにな。しかし、現実はそうではありません。利のために禁軍を利用しようとする者がいるし、禁軍そのものを食いものにしようとする者もいます。いまは、ひと粒の麦に心を傾ける民が、むなしく麦とともに踏み潰されていく時代ではありませんか」

「もうよそう、魯智深殿。確かに興味深い話ではあったが、私はそういう話が性に合わない。口で論じる者より、額に汗を浮かべて働き、なにも言わずに麦を育てる人間でいたいのだ」

「それでも、禁軍改革をされようとしている。動機がなんであろうと、私はそれはよいと思います。ただ、禁軍改革をすることは、この国を改革する、大きなものの一部だ、と考えてはいただけませんか？」

「性に合わぬ話だ、と言ったであろう。ここには、老いた母がいる。眼醒《めざ》めさせたくはない。もう帰ってくれぬか、魯智深殿」

やはり、魯智深に対する不快な思いは、湧《わ》いてこなかった。魯智深が何者だという問いも、深く突きつめたくはなかった。

「また、お眼にかかります、王進殿。今度は、街のどこかの料亭で、酒でも酌み交わしながら」

「それはいいな。しかし、私はあまり酒は飲まぬ。武術では、酒は心気を曇らせる」

「民も、御覧になればよい、と私は思います。民に接することで、この国のなにが駄目なのかも、見えてくると思います。無礼な訪いを咎《とが》めもされなかったことには、感謝いたします。私は、先生がますます好きになりました、王進殿」

魯智深は、笑ったようだった。白い歯が見えた。大きな頭を一度下げ、魯智深は気配を消して門の方へ歩いていった。

王進は、寝室へ戻り、そのまま眠った。

何事もなく、翌日も出仕した。

禁軍府からの、呼び出しはなかった。三日、と高俅が言った意味を、王進は少し考えた。考える時間をくれただけなのか。何日時間を貰おうと、上申書を取り下げる気など、王進にはなかった。それならば、はじめから出さない。

夕刻、林冲がそばに来て、黙って王進の腕をとった。眼に、ただならぬ気配がある。

林冲は、そのまま王進を道場へ引っ張っていった。剣の稽古をしている者などが、まだ十名ほどは残っているが、道場は閑散としていた。五百名が、一度に稽古ができる道場である。

「体術の稽古を、私につけてください、王師範」

なぜと訊き返すことができないほど、林冲の眼は切迫していた。

いきなり、王進の軍袍《ぐんぽう》の袖《そで》を摑んで、投げ飛ばそうとしてくる。その力が強かったので、王進の返しもきれいに決まった。相手の力を利用するのが、体術の極意である。

叫び声をあげ、再び林冲が組みついてきた。しかし、力を入れているようで入れていない。

「今夜、私は王師範の家へ参ります」

耳もとで、林冲が言った。

「旅の仕度をして、お待ちください。母上様もともにです」

「なにゆえ」

林冲が手に力をこめたので、王進はまた投げ飛ばした。体術のかたちを取りながら、林冲はなにか王進に伝えようとしているようだった。

「京兆府《けいちょうふ》（長安《ちょうあん》）の呂栄《りょえい》将軍が、叛乱の罪で捕えられました」

「なんと」

呂栄将軍は、反高俅派の大物だったが、そんなことより、王進の熱心な棒術の弟子だった。心が通じ合っている、と王進は思い、上申書のことについても、呂栄将軍にはこちらから手紙で知らせている。

「まさか」

「陰謀でしょう、高俅派の。しかし、捕えられたことは事実で、明日には禁軍の全員が知るはずです。そして、禁軍の中にも同調する者がいて捕えられる、ということになります」

「それが、私か」

いきなり、王進は林冲に投げ飛ばされた。こちらの虚を衝《つ》いた、見事な動きだった。跳ね起き、王進は林冲の襟《えり》を摑んだ。

「私は、叛乱の罪を被《き》せられるなら、堂々と出るところへ出て弁明しよう」

「そんな段階ではありません、もう。捕えられたら、処断は間違いのないことです。しかも、母上様もともに」

「逃げろ、と言っているのか、私に」

「今夜のうちに」

「逃げられると思うか、私が」

「叛乱の罪ですぞ、王師範。母上様まで、処断されるのです。呂栄将軍が捕縛されたという情報は、間違いありません。そして、明日、王師範が捕縛されるということも」

母という言葉が、王進を動かした。林冲を疑う気持も起きてこない。何年も、この男を見てきたのだ。

「わかった。深夜に、なんとか城を出よう」

「私が、参ります。門を抜ける方法も、なんとか見つけておきます。王師範の馬は、明るいうちに私が城外に出しておきます」

林冲が、王進を抱えあげ、投げようとした。片脚が浮いたが、もう一方の脚を軸にして、王進は腰を回した。林冲が、鞠《まり》のように転がり、その勢いのまま立ちあがった。

再び組み合う。

「なぜ、おまえが、林冲？」

「王師範が処断されることなど、私には受け入れられません。王師範が、禁軍のためを思われていることは、私が一番よく知っております。王師範おひとりなら、私もそれほど心配はいたしませんが、母上様がおいでです。私のような者でも、いないよりましでしょう」

「礼を言う」

「私を、また投げ飛ばしてください、王師範。禁軍の中は密偵だらけで、多分、いまの私たちもどこかで見られています」

「それほどに？」

「醜いものは、見ようとされない。その王師範の眼にも、禁軍の腐敗は、どうしても見えてしまうのですね。いまは、誰がなにをしたというようなことは、調べられていないと思います。童元帥や高大将の側の人間かどうか。それだけが調べられ、反対側にいる人間は、どんな理由でも作りあげて、追い出したり処断したりするのです」

「私は将軍などではなく、ただの武術師範なのだがな」

「師です。教えを受ける者たちには、将軍以上の力を持っておられます。だから、自分の意のままになる人間を、高大将は欲しがっているのですよ」

「わかった。もういい。自ら捕縛されるのを恐れるものではないが、老いた母までとは受け入れられぬ。明日捕縛なら、母とともに今夜開封府を去ろう」

「私が気絶するまで、投げ続けてください。それからあとは、いつもとお変りなきよう」

王進は、林冲を肩に担ぎあげ、背中から叩きつけた。跳ね起き、林冲はまた挑みかかってくる。投げ飛ばすことを、七、八度続けた。まだ残っていた者たちが、周囲に集まって見物をはじめた。倒れた林冲の腹に、王進は拳《こぶし》を打ちこんだ。林冲が絶息する。それを見おろし、わずかに額に浮いた汗を拭《ぬぐ》い、王進は師範室に戻った。

帰宅はいつも通りだったが、従僕の二人を城外に使いに出した。夜、城門が閉ざされると、よほどのことがないかぎり、朝の開門まで戻れない。ただ、潜《くぐ》り門の番兵に銭を握らせれば、通行ができるという話は聞いたことがあった。

王進は、母の部屋へ行き、情況を説明して今夜逃げなければならないと告げ、謝った。

「私のような老婆は、どうでもよいのです。しかし、若いおまえが罪人として処断されることなど、私には許せません。どこなりと、たとえ地の果てであろうと、この老婆は参りましょう。若いおまえの足手まといになるかもしれませんが、ここはこの老婆も頑張るしかないと思います」

「落ち着いた、静かな暮しを、必ず作りあげてみせます、母上。それができなければ、亡くなった父上に合わせる顔がありません」

「私は贅沢《ぜいたく》など、望んではいませんよ。ただ、こういう、いわれのない害意に晒《さら》される
のだけは、もう避けてください」

「お約束します。必ずしも、御健康とばかりは言えないお躰ですが、しばし、旅の間だ
けは耐えてください」

それから、王進は荷物の整理をはじめた。大きなものを持つことはできない。身のま
わりのもので、銭に替えることができそうなものだけ、小さくまとめた。

林冲が姿を現わしたのは、夜もだいぶ更けてからだった。どこで手に入れたのか、人足のような身なりである。王進の分も、用意していた。

「潜り門の番兵には、すでに鼻薬を効かせてあります。荷物は私が持ちますので、王師範は母上様を背負われてください。急病の母上様を、城外の医者のところまで運ぶ、と
いうかたちにいたしましょう。馬は、城外の森に繫《つな》いであります」

「済まぬ、なにからなにまで」

「銭は、お持ちなのでしょうか？」

「蓄えたものがある。延安府《えんあんふ》までの路銀に、不自由することはない」

「延安府へ行かれるのですか？」

「知り人がいる。母と二人、静かに暮す、手助けはしてくれると思う」

「そうですか。しかし残念でなりません。このようなかたちで、王師範とお別れすることは」

「いつか、また会えると信じている。礼は、その時まで心の底に収《しま》いこんでおく」

林冲が用意した衣服を着て、母を背負い、新酸棗門にむかって歩いた。まだ街が寝静まってしまう時刻ではなかったが、人はだいぶ少なくなっている。急いだ。夜が明けるまでに、一里でも開封府から遠ざかりたかった。

新酸棗門では、林冲がしばらく番兵と交渉した。聞くと、渡す銭を値切っているのだった。銭など、言われるままに渡してしまえばいいと思ったが、そんなことをすれば、逆に怪しまれるのかもしれない。ようやく、潜り門が開けられた。

城外に出ても、いきなり原野というわけではない。宿や店が並んでいて、その外側を人家が取り巻いている。田畠《たはた》などは、さらにその外だ。夜は、意外にこちらの方が賑《にぎ》わっている。朝の開門と同時に城内に入ろうという、旅人や商人がいるからだ。

二刻《にこく》（一時間）ほど無言で歩いた。ようやく人家もなくなり、月明りだけが頼りになった。畠《はたけ》や森の中を歩くので、背中の母親が怯えているのがわかった。

「あの森に、馬が」

林冲が言った。

森の中に、確かに王進の馬がいた。林冲が、素速く鞍《くら》を載せる。母の足がかかるように、鐙《あぶみ》も短くし、鞍には布がかけられた。

「お互いに、鍛練し合った日々のことは、忘れません、王師範」

「私にとっても、林冲だけは開封府のよい思い出として残る」

「ここで」

「済まなかった。あとは、おまえに迷惑がかからないことを祈るばかりだ」

「今夜だけは、夜を徹して進まれますよう。母上様には、おつらいことでしょうが」

「わかっている」

馬の轡《くつわ》を取る時、林冲と手が触れた。王進は歩きはじめた。ふり返りはしなかった。涙が溢《あふ》れ出してきたからだ。

「開封府から離れるのが、つらいのですか?」

馬上から、母が言った。背中を見ていても、息子が泣いているのはわかるらしい。

「なんの。開封府には、なんの未練もありません。友とはよいものだ、と思うと涙が出てきたのです」

「きちんと生きたからです。別れる時涙が出てしまう友を持てたのは、あなたがきちんと生きたからですよ、進」

「はい。あの友は、私の誇りです」

開封府で生まれ、開封府で育った。幼いころから、武術だけに打ちこんできた。ほかの喜びも、人間の生にはあるのかもしれない。開封府を背にして歩くと、そうも思えてくる。

森の中の道を抜けると、また月明りが射《さ》してきた。遠くに、山かげも見える。逃げているのではない。王進は自分に言い聞かせた。新しい場所にむかって、進んでいる。そして、それは自分で選んだ道だ。

山かげは、やはりまだ遠い。王進は、いくらか脚を速めた。

三

夜が明けてから、林冲は人の波とともに城内に戻った。

張藍《ちょうらん》は眠らずに待っていた。こういうことは、結婚して以来はじめてだった。

「友だちと、城外で酒を飲んだ」

それだけ言った。張藍は、林冲に逆らうようなことは、言ったことがない。人はみんな美形と言ったが、林冲はそう思っていなかった。特に、裸にすると痩《や》せすぎているのである。ただ、林冲の方が惚《ほ》れられた。

水を浴びると、不意に妻の躰が欲しくなった。寝室に引きこみ、裾《すそ》をまくりあげた。愛撫《あいぶ》はあまりしたことはないが、反応は悪くない躰だった。娶《めと》ったのは、愛しているからではない。結婚して、開封府で腰を据えている、というかたちがいい、と判断したからだ。流れ者に近かったが、武術で禁軍の将軍に認められた。師範代たちと、何度か立合をさせられた。稽古用の槍で互角にやり合えたのが、師範の王進だった。四年前のことである。

背後から貫かれ、悲鳴のような声をあげる張藍が、衣服を脱ぎ捨てた。貧弱な背中が剝《む》き出しになるが、朝の光の中ではそれも悪くないと思った。肌だけは白いのだ。その肌に、やがて赤味がさしてくる。それを見ているのは、好きだった。

したたかに精を放つと、すぐに饅頭《まんとう》を蒸し直させ、腹につめこんだ。張藍は料理もうまい。人には幸福者だとよく言われる。おまけに、父親がそこそこの金持だった。

出仕した。

いつもの朝である。王進が休みだが、気にしている者はあまりいないようだった。非番だと思っている者もいる。

林冲は、王進のように、城外での調練などはやらない。教場か、雨もよいの時は道場を使う。槍が担当だったが、そこそこに厳しい稽古しかつけなかった。禁軍兵士を、精強にしたいとは毛ほども思っていない。稽古はいつもそこそこであり、手心を加えて欲しくて贈物《ぞうぶつ》などをしてくる者には、本人にだけわかるかたちで手を抜いた。

真剣にやるのは、自分自身のための稽古と、時折、まるで試すように行われる師範代同士の試合だけだった。王進とも、三度ほど試合をしている。一度は槍で、終盤まで互角だった。剣や棒、それに弓などになると、王進には及ばない。

模擬の槍ではなく、穂先をつけたもので立合えば、林冲には王進にも勝つ自信があった。王進は、すべての武術について、禁軍随一と言われている。槍を除けば、林冲もそう思う。槍だけは、自分の方が上である。

王進がいなくなったと、騒ぎになったのは、午後になって、禁軍府からつけられていた従僕が訴えてきたからだった。それより先に、禁軍の首脳は王進の捕縛を検討しはじめていたらしい。京兆府の呂栄将軍の捕縛と関連して、噂が流れた。それは噂だけで、王進が本気で叛乱に加担した、と信じている者は師範代の中にはいない、と林冲は思っていた。およそそういうものとは無縁の人柄であることは、誰もが知っていたのだ。

李富《りふ》に呼ばれ、林冲も訊問《じんもん》された。ほかの師範代への訊問と、変りはないようだった。

「きのう、王進と激しい稽古をしていたそうではないか?」

「体術の稽古だったので、そう見えたのでしょう。しかし、使うのはこの躰で、模擬の武器よりずっと軽いものでした」

「しかし、なぜ体術なのだ?」

「戦場で、武器を失うことは、しばしばあると考えられます。身の回りに遣えるほかの武器がない時は、体術が有効です。しかし、それがきちんとした術になっていない。それを、王師範は以前から申されておりました」

「王進でいい。もう師範ではないのだ」

李富の表情は、どんな時でもほとんど動かない。高俅の下にいる監察官らしいが、密偵の元締めがこの男だと、林冲は思っていた。二年前に会った時から、嫌悪に似た感情を林冲はこの男に持っていた。新しく着任した高俅が使いはじめたのか、それ以前から別の人間が使い続けているのか、よくわからなかった。

「少なくとも、王進殿に叛乱の意志があったなどと、私には信じられないのですが」

槍の腕だけが立つ師範代。鋭いところはなにも持たず、だから警戒されることもない。自分はそういう存在でいるべきだ、と林冲は思っていた。禁軍の中でのありようは、誰に言われたわけでもなく、自分で選択した。

「京兆府の呂栄将軍の屋敷から、八通の王進の手紙が出た」

「それに、叛乱のことが？」

「露骨に書いてあるはずはなかろう。いや、露骨に書いたものは、焼かれたのかもしれんな。それぐらいの用心はするはずだ」

「しかし」

「王進は、逃げた。それが、なによりの証拠ではないか」

王進を捕縛するという情報は、禁軍府で手なずけている小者二人から、聞き出したものだ。この二人とは、しばしば酒食をともにしている。林冲については、ただの飲んだくれとしか思っていない。

李富の任務がどこにあるか、まだ摑めてはいなかった。童貫、高俅という禁軍の首脳に従わない者を排除するのが仕事なのか、まるで別のことをやろうとしているのか。いずれにしても、もし自分に眼をつけてくる人間がいるとしたら、李富以外にないだろう。

師範室ではじめてだったが、禁軍の部隊の中では、首を傾《かし》げるような理由で、投獄されたり、処断されたりした者が少なくない。その背後には、間違いなくこの李富がいる。

「王進とは、親しかったのだろう、林冲？」

「それはもう。あらゆる武術で、私より秀でておられました。親しくしていただいたというより、多くのことを学ばせていただいた、ということでありましょう」

「今度は、おまえを師範に、という話もあるぞ」

「まことに？」

「そうすれば、従僕もつく」

「しかし、私は剣や弓が駄目なのです。私が人に教えられるのは、槍以外では、馬術ぐらいでありましょう」

「なりたくはないのか？」

「いえ、それは」

「槍、棒、剣。それぞれのものに、ひとりずつ師範を立てるのがよいのではないか、と高大将は言われている。ほかの武器も含めて、師範は五人となる」

「それならば」

李富の表情がちょっと動き、笑ったように見えた。

「李富様が私を推挙してくだされば、それこそ確かなものになります」

いやでも、李富になにか物を贈っておくべきだろう。師範になれる機をみすみす逃すようなら、それはそれで疑いの原因になりかねない。

「ところで林冲、王進の逃亡先で、思い浮かぶ場所はないか？」

「まずは、京兆府。しかし、呂栄将軍が叛乱の罪で捕縛された、という噂がありますし」

延安府というのは、誰の頭にも浮かばないだろう。知り人がいるという話も、林冲は昨夜聞いたばかりだった。

間が抜けた答であることはわかっていて、言ったのだ。ここで喋るあらゆることで、李富はなにかを測ろうとするに違いなかった。間が抜けているが馬鹿ではなく、多少の欲もあるので扱いにくくない。武術師範はその程度がいいのだ。

「ほかには？」

「さて、開封府のお生まれだったはずですし、あとは母上様にでもお訊きするしかないのではありますまいか。喋ってくだされば、ということですが」

「林冲、王進は叛乱に加担した罪で逃亡したのだぞ」

「そうでした。ならば母上様も？」

「一緒に逃げておる」

「母上様の縁者は、わかっておりますか？」

「南の出の女だからな」

南に縁者がいる、ということにするのだろうか。南の将軍は、開封府に批判的だという。その中のひとりか二人が、王進を匿《かくま》ったという理由で、解任されたりするのかもしれない、と林冲は思った。

南は、反開封府の雰囲気を作るにはいい地域だが、人が少なかった。それに、ものごとをきっちりやらない人間が多い、という話も耳にしたことがある。人を大きく動かすなら、やはり河北《かほく》（黄河《こうが》の北）だった。

「もうよいぞ、林冲」

「はっ。私の師範昇格については、どうか李富様のお口添えのほどを」

「私の口添えだけではな」

「高大将に直接お願いするというわけには、なかなか参りませんので」

ほかの師範代と較《くら》べて、訊問の時間が特に長かったわけではない、と林冲は頭をめぐらせた。

犬を追い払うように、手の先で追い払われた。

「考えておこう」

師範室を出たのは、陽が落ちてからだった。めずらしく、非番の者を除いた全員が、部屋に揃っていた。やはり、ほかの者の訊問がどうだったのか、気になるのだろう。特に長い時間をかけられた者がいないということで、みんな安心した。

「おまえが、私に内密にしている蓄えを持っているなら、全部吐き出せ。師範に昇格する好機かもしれん。禁軍府の、李富という監察官に、できるかぎりの贈物をしろ。なににするかは、おまえに任せる。義父《ちち》上と相談して、決めるがいい」

家に帰ると、林冲は張藍にそう言った。張藍の父は、賄賂を贈ったり贈られたりしながら、いまのそこそこの地位を獲得している。

「私に、内密の蓄えなどありません。父に出して貰ってもよろしゅうございますか？」

「それは、俺の口からは言えん。おまえに任せるしかないな」

張藍が、自分に内密で蓄えをしていることを、林冲は知っていた。夫婦の間も、駆け引きだった。その駆け引きについては、張藍の上をいっている、と林冲は思っている。

「王師範が、逐電された」

林冲がなにを言ったか、束の間、張藍には理解できなかったようだ。

「なぜ？」

「私にも、よくわからないのだ。こんなことなら、昨夜は友だちと飲んだりせずに、王師範の家にでも押しかけておくのだった」

「理由もなく、逐電されたのですか？」

「京兆府の、呂栄将軍というお方が捕縛された。叛乱の罪ということだが、王師範はそれに同調していると疑われたのだ」

「それで」

「真偽は、私にはわからん。とにかく師範がいなくなってしまった。新しい師範選びになる。禁軍府の李富様というお方に、なにか贈っておいてくれ」

張藍の表情が、また微妙に変った。顔は、確かに美形といってもよかった。その上、表情が豊かだった。夫の出世を、心から願っているところもある。

林冲は軍袍を私服に着替え、用意されていた夕食もとらずに外に出た。保康門《ほこうもん》から内城に入り、城壁に沿っている旅館街の方へ行った。

「林冲、こっちだ」

二階から声をかけられた。入道頭が通りを見おろしている。

林冲は、魯智深の部屋へ行った。魯智深は内城の中にある相国寺《しょうこくじ》に知り合いがいるのだが、宿坊には泊らず、いつもどこかの旅館に部屋をとっていた。魯智深は、女中を呼んで酒肴《しゅこう》を註文《ちゅうもん》し、それが運ばれてくるまで、ひと言も喋らなかった。

「王進が、捕縛されかかって、母親とともに逃げたそうだな」

「ああ。実際、今日にも捕縛されるはずだった。京兆府の呂栄将軍が、罠《わな》に嵌《はま》って捕縛され、それに連座するということだった。王進にそれを知らせて、逃がしたのは私だ」

「逃げおおせそうか？」

「それは、どれぐらいの追手がかかるかによるだろう。老いた母と一緒だが、一応は馬もある」

「惜しかった」

酒を呷《あお》りながら、魯智深が言った。

「引きこむことができれば、大変な力になっただろう。単に、武術に優れているというだけではなくな。俺は、二、三日経《た》ったら、また行ってみるつもりでいた」

「それでも無理だった、と私は思う」

林冲は、蒸した豚の肉に箸《はし》をのばした。

「俺は、そうは思わんのだがな。一途《いちず》さの方向が変ってくれれば、信頼できる同志になったと思っている。心根は、しっかりした男だった」

「しかし、狭い。その狭さが、廉恥《れんち》心にこだわらせたと思う。禁軍どころか、この国全体が腐りはじめていることを、あの人はよくわかっていたのだ。それでも、腐ったものを叩き潰そうというふうには、動かなかった。腐敗を食いとめようと心を砕くばかりでな」

「しかし、人物としては惜しい。おまえが知らせてくれた通りの、人物だった。林冲、俺たちに視野の広さなど必要ないのだ。それは、あのお方が持っておられればいいことなのだ。まずは、人物」

「おぬしの言うこともわかる。しかし、無理だっただろうと思うだけだ」

「逃亡したのは、母親の身を案じてか？」

「まず、そうだ。心の底には、高俅に対する不信感があった。その二つが、決心させる力になったのだと思う。童貫元帥は、かつては熱心な弟子だったようだが、いまはもう遠すぎる存在だ」

「人はな、林冲、二度や三度話しても駄目なことは、よくある。しかし、二年、三年付き合ってみれば、変えられる。俺は、そう思っている」

「人を信じているからな、花和尚は」

「死んだのではなく、逃げた。いまのところ、それでいいとするか。会う機会が、今後なくなったというわけではない」

「延安府にむかう、と言っていた。多分、武術教師を生業《なりわい》にするような職には、もう就かないだろう。ひとりで、その道をきわめようと思うことがあってもな」

「俺も、あと二、三日したら、延安府へ行ってみようと思う」

魯智深は、まだ開封府では暴れていない。いくつかの地方では大暴れをし、背に牡丹《ぼたん》の入墨《いれずみ》の花和尚と言えば、ならず者が竦《すく》みあがるほどだった。いまは、相国寺を動かせないかどうか探っているので、開封府で暴れる予定はなさそうだった。

旅館街も、賑やかになってきている。これが、酒店や妓館《ぎかん》などが並んだ通りになると、賑やかになるのはもっと暗くなってからだった。

「人は、増えんな。いつまでも、増えん」

「いま集めれば、どれぐらいになるのだ、魯智深？」

「三百から四百というところか。とにかく、地方の軍にもひと揉《も》みにされるほど、少ない。それでいい、とあの方は言われているが」

「禁軍にも、帝や政府に反逆しようという者は、ほとんどいない。敵意や憎悪は、童貫や高俅という個人が、集めてしまっている。悪政、圧政というふうには、見えないのかもしれんな」

「そこが、蔡京《さいけい》の巧妙なところかもしれん」

「いまのままだと、十年かかっても、宰相《さいしょう》の蔡京でなく、童貫や高俅を倒した、というだけで終ってしまうかもしれんぞ」

人の配置が、いつまでもできあがらない。お互いに信頼している者が地方に散らばっているが、全部合わせても十四、五人だろう。開封府には、自分がいる。

地方に散らばった同志を繋いでいるのが、魯智深だった。王進も、同志に加えようと魯智深が動いたのだ。それぞれの同志が、また同志を見つけ出すのが理想だが、なかなかそれはできず、魯智深が北から南まで駈け回ることになる。

林冲の任務は、開封府の情勢を知らせることが主で、王進の情報もその中に入っていた。

「拠《よ》って立つ場所と人を、網の目のように張りめぐらせる。これは難しいな、林冲。なにか起きれば、いまはかろうじて繋がっているところも、分断されかねない。あのお方は、それを作りながら、もうひとつ別のやり方が必要だろう、と思われはじめている。そのために、眼をつけている人物もいるらしい」

「また人か、おい？」

「すべては、人だ。その人物が誰かはまだわからんが、あのお方がお会いになるという男については、俺やおまえも意見を求められるだろう」

「私は、開封府から出たいと思うようになった。高俅はなんとか騙《だま》しおおせるにしても、李富という監察官の動きが、なにを狙《ねら》っているのか読めんのだ。いつも背中を見つめられている、という気がしてな」

「開封府にいることはつらかろうが、まだ意味はある。とにかく、民の中にある恨みの声を、ひとつに集めることだ」

魯智深は、忍耐強い。時に暴れ者になり、時に修行僧のようにもなる。魯智深と出会った人間で、いずれは集まってくる男たちが、何人もいるはずだった。

目的は、政府を倒し、帝を廃することだった。そのためには、どこかで戦をはじめなければならない。その時機がいまではないことは、林冲にもよくわかっていた。

「なにか旗が必要なのだ、魯智深。誰にも見えて、誰もが心を躍らせるような」

「そうだな」

「それがあれば、王進の心の動きも違ったかもしれん。いや、やはり無理か。あの男にこだわるのは、やめたらどうだ。志などよりも、気持の中の廉恥心にこだわる男で、自分の生き方でしか生きられない無器用な人間なのだと思う。それに、頑迷でもある」

「人と人は、縁でもある。俺が気が済むまでこだわらせておいてくれ」

「わかった。相国寺関係で、俺がやっておくことがあるか？」

「いや、おまえはいまは、身辺に気をつけていろ。特に、李富にな」

それ以上、あまり喋ることはなくなった。このところ、魯智深が開封府に現われても、特に大きな話はない。

魯智深が大声を出し、新しい酒を註文した。大酒を飲むが、決して酔わない。しかしこの男は、よく泥酔したふりをする。

林冲には、そんな真似《まね》はできなかった。

いくらか暗い気分で、林冲は豚肉の残りに箸をのばした。

四

歩きはじめて、十四日が経った。

さすがに、延安府は遠い。たとえ馬に乗っていても、老母にはこたえる旅のようだった。いまのところ、禁軍府の追手の影はない。

急ぎに急いだが、それでもなお急いでいるのは、母が急げと言い続けているからだった。荷を背負ってこれぐらい歩くのは、王進にとってはなんでもないことだった。

最後の宿場を過ぎて、だいぶ経つ。あそこで宿を取っておくべきだった、と王進は後悔しはじめていた。明らかに母の顔色が変ってきたし、時々はつらそうに鞍にしがみつくような恰好《かっこう》をするのだ。それでも、母は急げと言い続けている。

陽が落ち、闇《やみ》の中を二刻ほど歩いた。次の宿場の気配は、まだない。宿場と宿場の距離が開いているところなのだろう。下手をすると夜半まで歩かなければならず、たとえ宿場があっても、もう客を受け入れるかどうかわからない。

闇の中に明りが見えたのは、さらに二刻歩いたころだった。宿ではないが、ここに頼んで泊めて貰おう、と王進は思った。

「母上、今夜の宿はここということにいたしましょう」

「ここは、宿屋ではありませんね」

「そうですが、なにやら広壮な屋敷です。頼めば、泊めてくれるという気がいたします。いくらなんでも、もう開封府からの追手は切迫しているとは思えませんし」

あえて、母は拒もうとはしなかった。気力だけで馬の背にしがみつき、それももう限界に達しているものと思えた。

門を叩いた。門構えだけでも、相当な屋敷である。出てきた使用人らしい男に、わけを話し、宿を請うた。使用人は一度ひっこみ、しばらくして老人と一緒に現われた。

「これは、母上を抱えて難儀をしておられますな。遠慮はいりません。お入りください」

「路銀も多少は持っております。いま、いくらかお支払いをいたしたい」

「そのようなこと、御心配は無用。母上を休ませてさしあげるのが、先でござろう」

好意に礼を述べ、王進は母を馬から抱き降ろした。

部屋をひとつ用意された。足を洗う湯も、下男が運んできた。母に出された食事は、粥《かゆ》と香の物である。年寄りが食べやすいようにという配慮のようだった。王進は、屋敷の主人の部屋に呼ばれた。食事には、羊の肉などがついていて、主人は母と同じ粥を啜《すす》るつもりのようだった。

「見れば長い旅のようだが、どちらまで行かれます、張進《ちょうしん》殿？」

張と名乗っていた。それでも、多少気が咎めるところがある。王進は、かしこまって主人の前に座っていた。

「延安府まで、知り人を訪ねて」

「遠いのう。張進殿はともかく、母上にはつらかろう」

「母に苦労をかけ、いささか忸怩《じくじ》たる思いはありますが、いまはただ、耐えて旅を無事に終えようと思います」

主人が、料理を勧めた。主人が箸を取ってから、王進も食事をはじめた。

「立派な馬に乗っておられるし、母上の挙措《きょそ》にも見苦しいところはまったくない。どなたなのだろうと思いますが、それは訊きますまい。ひとつだけ、年寄りの私が勧めたいことがありますが、よろしいかな？」

「それはもう。ただし、なんでもできるというわけではありませんが」

「しばらく、最低でも三日、ここに滞留されませんか。私にはよくわかるが、母上は病みかけておられる。もともとは、疲れが原因なのでしょうが、内臓が弱っていることが、顔色に出ています」

「それほど、ひどいのでしょうか？」

「本来なら、ひと月でもふた月でも、躰を休ませた方がよい。ただお急ぎのようだから、最低でも三日と申しています。私も老人だからわかりますが、命にかかわると思う。張進殿は、それを感じられたことはありませんか？」

「もともと気丈で、弱音など吐かぬ母でございましたから」

「一度倒れたら、起きあがれませぬな」

母が疲れ切っていることは、わかっていた。ただ、ひたすら急げと言い続けたのも、母である。そう言うことで、なんとか気力を保っていられたのかもしれない。

開封府からの追手の気配は、一度も感じなかった。どちらへ逃げたのか、まったくわからなかったのだろう。ここまで、大勢で追ってくれば必ずわかる。小人数で襲ってきたら、それを打ち倒す自信もあった。

「三日分の、お礼を払います。いや、五日分の。五日間、ここで休ませていただけないでしょうか？」

「礼は気にされずともよい。まだ暑く、年寄りの長旅は命取りだと思って、余計なこととは知りつつ申しあげたまでです。五日と言われず、十日でも二十日でも、ここで過ごしてから行かれるとよい」

「御好意、身にしみます」

「そんなに頭ばかり下げられず、食事を済まされよ。私の食事が粥なのは、気にされますな。歳《とし》を取ると、こんなものを躰が欲しがるのです」

酒もと言われたが、それは断った。

「うちのひとり息子は、まだ十九なのに、それこそ一斗《と》も飲んでしまいますわい」

「ほう、十九の御子息が」

「私が四十五の時に、二人目の妻が生んでくれた倅《せがれ》です。妻は倅が六つの時に死に、それ以来男手で育てて参りました。強い男に育つようにと願っておりましたが、これが強すぎてしまいましてな」

主人が、口もとで笑った。髪はほとんど白く、皺《しわ》の目立つ手の甲には、黒っぽい斑点《はんてん》が無数にある。いまの生き甲斐《がい》は、十九になる息子だけなのかもしれない。

「強すぎるほどの男に育ってくれた。しかし、ほんとうに強いのだろうか、ともよく思います。強いとはどういうことだとも」

「御子息は、十九になられているのでしょう。あとは御子息が考えればいいことだ、と私は思います。いや、申し訳ありません。私は、思うことをそのまま口にするらしく、こんな旅をしているのも、実はそのせいなのです」

「しかし、高潔な方だ。張進殿が、馬から母上を降ろされるところを見ていた。このお方は、人の心の中でなにが大事なのか、よく知っておいでだと、私はその手を見ていて思いました」

「母に苦労をかける、愚かな息子です。老いた日々を、静穏に暮させてやるのが、私の夢でありましたのに」

主人が、穏やかな視線を王進にむけてきた。

静かな夜だ、と王進は思った。風もないし、暑さもしのぎやすい。そして、やわらかな夜具の中で、母を眠らせることができた。

「明日は、伜も戻りましょう。会ってやってくだされい。田舎《いなか》のこととて、張進殿のような大人を見る機会は、あまりないのです」

「お眼にかかるのは愉《たの》しみですが、私ごときになにができましょう」

「いやいや、母上と張進殿のお姿を見るだけでも、あれには勉強になります」

主人が腰をあげたので、王進は挨拶《あいさつ》して部屋へ戻った。母は、すでに眠っていた。十数日の旅で、すっかり老けこんだように見えた。急ぎなさいと言い続けていたが、いまは呼吸だけが急いでいるように思える。

横になった。さまざまなことを、考えた。すぐに眠れるほど、自分が疲れていないことが悲しかった。

朝、母は起き出してきたが、ここに五日滞留することになったと告げると、食事もとらずにまた眠りはじめた。

夜に見た時より、さらに大きな屋敷だった。主人は史礼《しれい》といい、このあたりの集落は、史家村《しかそん》と呼ばれているらしい。

「母上は、お眠りになれたでしょうか？」

史礼が、庭を歩いてきて言った。

「五日、ここに滞留すると言うと、食事もとらずにまた眠ってしまいました」

いつもの母なら、理由を訊く。よほど疲れていたということだろう。

王進は、史礼と一緒に、粥だけの朝食をとった。作男の住む家らしいものが、庭の隅に並んでいる。家畜小屋には、牛や豚がいて、王進の馬もそこで世話をされているようだった。

不意に、門の方から叫び声が聞えた。五、六人が庭に飛びこんでくる。王進は、一緒にいた史礼を庇《かば》うように、前に立った。

もうひとつ、雄叫《おたけ》びがあがった。上半身が裸の、大柄な若者が飛びこんできた。躰には、竜の入墨がいくつもある。棒を構えていた。

「なにをやっている、貴様ら。五人がかりでも、俺にかなうまい。屋敷に追いこんだからには、絶対に逃がさんぞ。しばらくは、史家村を歩けないようにしてやる」

勝負は見えていた。最初に入ってきた五人はただ棒を振り回しているだけだが、竜の入墨の若者には、かなりの心得がありそうだった。

気合が交錯した。ひとり、二人と打ち倒されて、若者はそのたびに誇示するように、頭上でくるくると棒を回した。四人目が打ち倒された時、五人目は棒を放り出し、逃げようとした。若者は棒を投げ、その男の背中に当てた。

「馬鹿なことを」

思わず、王進は言った。若者の顔が、こちらをむいた。

「おい、そこの。俺が馬鹿だと？」

「あなたを馬鹿と言ったのではない。棒を投げるのが馬鹿げている、と言っただけです」

「利《き》いたふうな口を」

「これ、進。客人に無礼であろう」

史礼が言うと、若者はちょっと意外そうな表情をした。

「親父《おやじ》様の客人ですと？」

「そうじゃ。無礼はならんぞ」

「いいのです、史礼殿。馬鹿げているのは、確かなのですから」

「ほう、また言ったな。いかに親父様の客人であろうと、黙っているわけにはいかんぞ。なぜ馬鹿か説明した上で、俺と立合え」

「いかなる場合も、武器を手から離してはならん。自分の腕を切り離すようなものですからね。投げるなどということをしなくても、あなたなら充分に追いつけた。投げてかわされると、素手で相手とむかい合うことになりますぞ」

「わかった。それなりの心得があって、言っているのであろうな」

「馬鹿げている説明をしろと言われたので、したまでです。立合はお許しいただきたい。史礼殿の御子息に、怪我でもさせたら、申し訳が立たぬ」

「なんと」

若者の眼が光った。王進に棒を突きつけてくる。打ち倒された五人は、その間に這うように門外に去った。若者は、ずかずかと王進に近づいてきた。

「俺は、躰を見れば、大抵はわかる。そこそこ、心得はありそうではないか。しかし、自分を親父様に売りこもうという気持が強すぎるな。俺は棒術をきわめている。けなした相手が、九紋竜《くもんりゆう》の史進《ししん》であったということが、おぬしの不運よ」

「重ねて申しあげるが、棒を投げるのは、やはり馬鹿げていた」

「あいつらが、捨てていった棒を執《と》れ。それぐらいは待ってやる。ここまで言われたのだ。立合わずには済ませぬぞ」

「しかし」

王進は、史礼の方を見た。

「御子息に怪我でもさせることになると、恩を仇《あだ》で返すということになってしまいます」

そう言った王進の言葉が、さらに若者を逆上させたようだった。

「構いませぬぞ、張進殿。伜が骨の一本二本を折ろうと、それは伜が招いたこと。できれば鼻をへし折っていただきたいが、果してそれができますかの？」

「私は、素手でもいいし、そこらに転がっている薪《まき》の一本でもよいのですが、それでも御子息は怪我をされるかもしれない」

また、口が禍《わざわい》している。そう思ったが、やめることはできなかった。師範であったころの癖は抜けないらしい。

「俺の棒に、薪一本で立合うだと」

「張進殿。構いません。私からお願いいたします。もし伜の鼻をへし折れるなら、そうしてください。できないのなら、これ以上なにか言って、伜を興奮させないでいただきたい」

「わかりました。できるかぎり御子息に怪我をさせぬよう、やってみましょう」

「よせ」

薪を拾いかけた王進に、若者が言った。

「俺と立合うなら、棒を執れ。立合う前から、俺への侮辱だぞ、薪というのは」

「わかりました。棒で勝てば、薪。薪で勝てば、素手ということにいたしましょうか」

王進は、落ちていた棒を拾った。

若者が、両手で捧《ささ》げるようにして、棒を構えた。むき合う。いい気合だった。これだけの気を発することができる人間は、禁軍兵士の中にもそれほどいない。しかし、構えはこけ威《おど》しだ。

片手で棒を持ったまま、王進は一歩踏み出した。若者の棒が、ぐるりと一度回った。もう一歩踏み出した瞬間、すさまじい攻撃が来た。力のある攻撃で、肌に粟《あわ》が生じるほどだった。かわしたので、位置が入れ替った。二撃目、三撃目もかわした。若者の眼が、別のもののように光を帯びた。

若者の頭上で、棒が二度、三度と回る。打ちこみが来た。確かに、非凡なものを持っている。かわし、はじめて王進は棒を低く構えた。次の攻撃の気配を見せた瞬間、王進は若者に歩み寄り、擦れ違った。

若者の手から、棒が落ちていた。王進の棒の先は、若者の眉間《みけん》に突きつけられている。若者の全身から、汗が噴き出してきた。いくつもの竜が、同時に汗を噴き出したように見えた。

「棒を、拾われよ」

言って、王進の方は棒を捨て、転がっていた薪を拾いあげた。およそ二尺（四十四センチ）ほどである。王進はそれを逆手に持つようにして、若者の方へ突き出した。棒を構えた若者の全身に、再び覇気が漲《みなぎ》った。若者の棒が、王進の薪を叩き落とそうと、目まぐるしく動いた。王進は、構えを変えず、それをことごとくかわした。はじめて、若者は口を開け、肩で大きく息をした。呼気が終る瞬間、王進はまた若者に歩み寄った。若者が膝《ひざ》を折る。腹の真中を、薪で突いたのだ。吐ききった息を、若者は吸えずにいる。うずくまった若者の上体の肌が、見る間に紅潮した。王進は、薪で脇腹《わきばら》を軽く打った。

それで、若者は息を吸えたはずだ。

「もう一度、棒を拾われるがよい、御子息殿」

薪を捨て、王進は言った。若者が立ちあがり、棒を構えた。いま起きていることが、信じられない、という表情をしている。

「私が素手であることは、気にする必要はない。どこからでも、打ちこんでこられよ」

血走った眼を、若者が見開いた。打ちこみ。王進も踏みこんだ。若者の躰が宙を舞い、地面に落ちた。跳ね起きてきた若者を、また投げ飛ばした。十数度地面に叩きつけると、若者は両手をついて動かなくなった。盛りあがった肩の筋肉が、かすかにふるえている。竜の入墨は、背にも脇腹にもあった。

「私の言うことを、認めていただけますか、御子息殿。得物《えもの》を、手から離してはならないのです。それは躰の一部なのですから」

やにわに立ちあがると、若者は家の方へ駈け出していった。

「御無礼を、いたしました」

「いや、張進殿、こちらへ」

史礼が、王進の手を引くようにして、家の奥へ連れていった。対座すると、深々と頭を下げる。

「なにも知らず、御無礼をいたしました。名のあるお方だったのですね。伜を、あれほど打ち負かしてくださったのは、後にも先にも、先生だけです。あれが望むままに、大金を払って師匠を何人もつけました。あれも熱心に修行しましたので腕はあがり、いまでは天下に並ぶ者がいない、と本気で信じているようでした。このごろになって、育て方を間違ったのではないか、と思ったりしているのです。先生、どうか、伜の師匠をお願いできませんか。お礼なら、いくらでもいたします」

「まず、史礼殿にお詫《わ》びを申しあげなければなりません。張進と名乗りましたが、実は王進という名です。先日まで、開封府にて、禁軍の武術師範をしておりました。ゆえあって、いまは逃亡の身です。自らに恥じるところはなにもない、と言うことはできますが」

「なんとなく、わかります。母上を守られるための旅でもあったようですな。でなければ、このような無理な旅はなさりますまい」

「母を守ると言っても、すべては私の愚かさのせいなのです」

王進を見つめる史礼の眼が、すっと細くなった。顔の皺が、かすかに動いた。

「お願いです、王先生。どうか、伜に武術がなにか、御教授願えませんでしょうか？」

「私は、御子息の技があまりに危なげなので、御親切のお礼までに、口を出しただけです。恨まれても、お教えするのがよい、と思ったからです。しかし、長く教えるとなると、話は違います。私は、開封府の禁軍から追われているのかもしれないのですから。私がいるだけで、このお屋敷の御迷惑となりかねません」

「そんなことは。禁軍の追手が来れば、裏山に逃げられればよいのです。史家村の村人は、みな家族のようなものです。母上にとっても、元気を回復されるまでは、ここで暮された方がよいはずです」

正直、ありがたい話ではあった。今朝の母の様子を見ていると、五日や六日で旅立っても、すぐにまた疲労が戻るのではないか、と心配になる。

しかし、武術に関することだった。

「ありがたい申し出であり、また御子息は、確かに非凡なものをお持ちではありますが」

「お願いします、先生。遅く出来た子で、母の愛はそれほど知らず、私の余命もいくばくもないと思います。あれが、ただの乱暴者のままでは、私は心配で、死ぬにも死にきれません」

「これは、武術修行なのです、史礼殿。ありていに申しあげれば、本人が修行したいという思いがなければ、いくら教えても無駄になるだけです」

「それについては」

史礼の顔に、嬉《うれ》しそうな笑みが浮かんだ。

「あれは、学べるものはすべて学びたい、と考えております。学問も含めてです。そこだけは、私も育て方を間違えなかった、と思っています。あれほどに打ちのめされたのは、伜にとってははじめてのことで、必ず修行し直したい、と思うはずです。伜が肩をふるわせて泣くことなど、母親が死んだ時以来なのですから」

王進は、腕組みをした。禁軍の、軟弱な兵士より、ずっと教えたい相手ではあった。しかし、耐え抜けるのか。

その日、史礼の息子は外に出てこなかった。

母は、昼すぎにはようやく起き出してきて、夕食は粥をいくらかとった。

「急がなくてよいのですか、進？」

「ここはもう、開封府から遠いのです、母上。行先がわからなければ、私たちを捜すことは、広大な草原で一本の草を捜すのにも似ています」

「そうですか。このお屋敷には、御迷惑なことかもしれませんが、もうしばらく休ませて貰えると、私にはありがたい」

母が洩《も》らした、はじめての弱音だった。

胸がつまりそうになるのを押し隠し、王進は母に寝るように勧めた。

翌朝、起き出して部屋を出ると、庭に若者が座りこんでいた。

「お客人、きのうは御無礼をいたしました」

「御子息殿か。私こそ、余計なことを言った」

「いえ。あれから恥ずかしくて、部屋を出られませんでした。自分が強いなどと思っていたことを考えると、いまも赤面いたします。十歳の時から、何人もの師匠につき、時には師匠すら打ち負かすほどで、自分より強い人間と、この三、四年会ってもいません」

「誰が最も強いか、ということは武術では無意味なのです。世のすべての人と闘うわけにはいかないのですから」

平伏した若者が、地面に額を擦《こす》りつけた。

「俺を、弟子にしてください、王進殿。俺は、もっと強くなりたいのです」

「強くなって、どうするのです？」

「強くなりたい、と思ってはいけないのでしょうか？」

「あなたは、充分に強い。ただどれほど強くなろうと、世の中にはもっと強い人間がどこかにいるということです」

「俺には、立派な師匠がいませんでした。親父が雇う師匠は、ただ強い強いとほめてくれるばかりで、いま思い返すと、なにひとつとして教えてはくれませんでした。教えるほどのものも持っていなかったのだ、と昨夜しみじみと考えました」

「それで、充分にわかるものがわかられた」

「もっとわかりたいのです、俺は」

若者が、平伏した顔をあげ、一途な眼で王進を見つめてきた。

禁軍師範をやっている間、こういう眼と出会ったことはなかった。この若者ほど非凡なものを持っている兵士を教える機会も、またなかった。鍛えあげれば、林冲をしのぐ腕にもなるかもしれない。林冲は弟子でなく、いわば同僚であった。

「王進殿、なんとか伜の願いを聞き届けていただけませんか」

どこかで聞いていたのか、史礼が出てきて言った。

武術家としての人生は、開封府を出る時に捨てた。そのつもりだったが、きのうこの若者が棒を遣うのを見て、思わず口を出した。まだ、どこかで捨てきれていない。それが、自分の技を誰にも伝えていない、というところからきていることを、漠然と王進は自覚していた。伝えたくても、伝えられるほどの兵はいなかったのだ。林冲は、槍術《そうじゅつ》についてはすでに独自の境地に達していた。

この若者ならば。そういう思いはある。同時に、いまの自分の状態のことも頭に浮かぶ。

「御子息、進という名なのだな、私と同じ」

「はい」

自分が、この世にいた証《あかし》。それは、きわめたと思っている武術を、誰かに伝え、残すことではないのか。それをやって、はじめて自分が武術に生きた意味があるのではないのか。

「苦しいぞ、史進。私と出会わなかった方がよかった、と思うかもしれん」

「御教授いただけますか？」

「教えられるのは、あるところまでだ。それから先は、ほとんど私との闘いになる。それを耐え抜けるか？」

「できます」

この若者に、自分が生きた証を伝えよう。王進の気持は、そうなってきた。

「史礼殿。武術は、ただ強くなるためにだけあるのではありません。御子息が苦しむのを、見ていることができますか？」

「たとえ死んでも、悔いは残さぬことにいたします。このままでは、いずれどこかで打ち殺されるでありましょうし」

「わかった。引き受けよう」

史進の眼が輝いた。

それに呼応するように、王進の心にも、なにかが点《とも》った。

天孤《てんこ》の星

一

古来、塩の道というものがある。人は塩がなければ生きられず、塩は岩塩のほかは海からしか得られない。だから、内陸に運ぶことになる。

魯智深《ろちしん》の頭から、塩のことが離れたことはなかった。父は、山東《さんとう》半島の付け根、密州《みつしゅう》で、塩の製造に携わっていた。その塩が横流しされているのが州の役人に発覚し、二十名の職人が処断されたのである。父は、その中に入っていた。

横流しは、実は役人自身がやっていたのだ。それが開封府《かいほうふ》に知られそうになり、職人二十名の首を並べて、なんとか逃れたのだった。密州の役人が塩の横流しで私腹を肥やすことなど、当たり前のことで、犠牲になった職人は不運としか言いようがなかった。

母はその不運を嘆きながら死に、魯智深は十二歳で出家させられた。

塩を、勝手に売り捌《さば》くことは、禁じられていた。すべて国家のもので、国家が許可を与えた商人が、それを扱う。

だから、闇《やみ》が横行した。塩賊と呼ばれる、盗賊もいた。塩の道には、表のものと裏のものの、二つがあるのだ。

魯智深の仕事のひとつは、裏の塩の道を辿《たど》ることだった。その道は、たえず危機に晒《さら》されながら、厖大《ぼうだい》な人と銭が動いている。

秋のはじめに、魯智深は開封府に戻ってきた。関西路《かんせいろ》の、裏の道をひとつ探り出した。関西路を選んだのは、延安府《えんあんふ》にむかった王進《おうしん》に会えるかもしれない、と思ったからだ。華州《かしゅう》少華山《しょうかざん》の麓《ふもと》、史家村《しかそん》というところに、それらしい男がいる、と耳にした。延安府への街道の途中でもある。

史家村の保正《ほせい》（名主）の屋敷に、王進はいた。史礼《しれい》の息子で史進《ししん》という者に、武術を教えていたのだ。なまなかな教え方でないことは、遠くから窺《うかが》っただけでもわかった。

王進は諦《あきら》めるべきだ、と魯智深はそれを見て思った。武術が、あまりに純粋すぎる。たとえば政府との争闘に、それはむくものではなかった。王進の武術は、精神的には内へ内へとむかうものなのだろう。

王進から伝授を受けている史進は、九紋竜《くもんりゅう》とあだ名される、名うての暴れ者だった。史家村はもとより、遠方から慕って集まってくる若者も多いが、眼の敵《かたき》にしている集団もいくつかあるようだった。

王進より、武術の技倆《ぎりょう》をあげた史進の方が使えるかもしれない、と魯智深は思いはじめていた。王進は、禁軍《きんぐん》（近衛《このえ》軍）兵士に影響力があるということで眼をつけたのだが、いまは一介の武術家にすぎない。

開封府に入り、宿を取ると、魯智深は相国寺《しょうこくじ》に挨拶《あいさつ》に行った。

河北《かほく》（黄河《こうが》の北）の塩は、一度開封府に集積される。塩の配給は、権力の象徴のひとつでもあるからだ。河北から開封府までの、河や運河を使った移送の途中で、闇に流れることはまずない。せいぜい、塩賊に襲われる程度だ。軍兵が厳しく守っているので、それも少量だった。

闇に流れるのは、開封府からである。その中のひとつが相国寺だと魯智深は見ていたが、まだ探りきれていなかった。

役人が闇に流しているものをまとめると、かなりの量になるが、小さなものがうんざりするほど多くあるということだ。相国寺から闇へという塩は、まとまったものだった。

闇の塩の道は、いま五つ摑《つか》んでいる。いずれ、それは役に立つ。塩は銭と同じだと考えてもよく、戦《いくさ》には銭が必要だからだ。

夜になると、あらかじめ開封府入りを知らせてあったので、宿に林冲《りんちゆう》が訪ねてきた。

「なかなかの男を見つけたぞ、魯智深。汝寧州《じよねいしゆう》で、若くして将軍に昇ったばかりの男だ。呼延灼《こえんしやく》という。ひと月ばかり、一隊を率いて開封府に来ていたが、その軍の精強ぶりは、禁軍の比ではないな」

「ほう。呼延灼か」

「知っているのか？」

「確か、汝寧州でまだ将校だったころ、調練ぶりを見たことがある。親父《おやじ》も、汝寧州の将軍だったはずだ。生粋《きつすい》の軍人の家系ではないか」

国家に反逆する要素を持った軍人を捜すのが、林冲の役目だった。王進は、上申書の件で、一応林冲が知らせてきたのだが、魯智深は脈があると思った。憂える男は、嫌いになれないのだ。

「騎馬隊では、どこの軍も呼延灼には勝てないと思う」

「なにかなければ、俺が会う必要はない。まして、代々の軍人ならば」

「生粋の軍人だからこそ、いまの軍のありようには不満を持っている、と私は思うがな」

「そういう考えも、できるか」

気は進まなかった。軍を内部から崩そうという方法は、やはりどこかに無理がある。

いまの軍は自分で腐っていくというところがあり、それは崩すこととはまた違う。腐りながら、しぶとく生き延びていくのだ。それを支えるのが、呼延灼のような、生粋の軍人だった。

「とにかく、私は驚いた。いまの軍に、あれほど精強な部隊がいるとはな」

「童貫《どうかん》の直属の部隊は？」

「私兵に近くなっている。私はそう思う。精強という意味では別格だと聞くが」

「そうか。おまえが言うなら、憶《おぼ》えておこう。しかし、禁軍には、まともなやつはいないのか？」

「朱仝《しゅどう》という将校がいたが、実は鄆城《うんじょう》に飛ばされた。私も飛ばされることになったら、軍を抜けるぞ」

「それほどいやなところか、軍は？」

林冲とは、いつも酒になる。不思議に、魯智深は酒に酔わない体質だった。林冲は、酔うほどに激してくる。

「李富《りふ》という監察官の話はしたな。私は、できるかぎり取り入るようにしているが、どうも、いつも背中を見られているような気がしてならんのだ。賄賂《わいろ》を使ったら、私を五人の師範のひとりにしてくれた。そんな男だが、冷徹なところもある。私は、高俅《こうきゅう》よりも手強《てごわ》いという感じがするな」

そういう男がいるから、権力は延命する。いや、権力は本能的に、そういう男を取り入れると言った方がいいかもしれない。

「林冲、つらいだろうが、いまは耐える時だぞ。あのお方も、うまく事が運ばないので、苦しんでおられるのだ」

「わかっている。私は禁軍槍術《そうじゅつ》師範で、あと五年は耐えられる」

林冲は酒を飲み続けていて、かなり酔っているようだった。もともと流れ者で、そのころ魯智深とも会った。禁軍の武術師範代になってからは、その地位を充分に生かしている。

武術師範を採用する試合に出てみろ、と勧めたのは魯智深だった。でなければ、いまごろはどこかの盗賊の首領だろう。

「ところで、王進だが」

「あの人を、こちらに引きこむのは無理だ。私は、最初からそう言った。惜しいという思いは、変らないが」

「少華山の麓、史家村というところにいる」

「ふうん。まだ延安府には」

「しばらく、そこに滞留するのだと思う。数カ月か、一年か」

「そんなに？」

「九紋竜史進という、暴れ者がいる。まだ二十歳にもなっていないそうだが、この若者に武術を教えている」

「それは、史進とかいうやつ、大変な天稟《てんぴん》に恵まれている、ということではないかな」

「だと思う。遠くから見ていても、稽古《けいこ》のありさまは、肌がひきしまるほどであった。恐らくは、死すれすれのところまで行くだろう」

「たやすく言うな。死すれすれの修行がどれほどのものか、おまえにはわかるまい」

「俺は、寺の中で体術を学んだ。杖術《じょうじゅつ》を身につけたが、それは我流だ。そして生まれながらに、膂力《りょりょく》と躰《からだ》の大きさに恵まれている。いまでは、大抵のやつに負けるとは思わん。その俺が見て、肌がひきしまったのだ」

「生き延びれば、史進はとんでもない手練《てだ》れになるぞ。おまえの言う通りの稽古なら。なるほど、王進殿は、史進という若者の中に、自分を刻みこもうとしているのか。同じ武術家として、史進が羨《うらや》ましいな」

「いずれ、史進には会ってみるつもりでいる」

林冲が、さらに盃《はい》を重ねている。

「李富が、こわいのか、林冲?」

「こわいな。軍内では、みんな李富より高俅をこわがっている。しかし私は、李富の方がはるかにこわい。これは理屈ではなく、別のものだ。見ていると、締め殺したくなる。

事実、たやすく締め殺せるだろう。せいぜい二人の護衛を連れているだけだからな。ししかしその二人の背後に、二百、三百、いや二千も三千もの人間がいて、私が手をのばした瞬間に、姿を現わすような気がする」

「おまえは、五人の師範のひとりに選ばれた。賄賂も効《き》く相手なのだろう」

「そこだ。私は、あの男に賄賂が効くとは、どうしても思えん。しかし、贈れば受け取る。効いたか効かぬかわからぬ程度に、効いたりもする。そういうところでも、人間を測っている。そう思えてならないのだ」

「ふむ。おまえの恐怖が、わかるような気もする。つまり、決して肚《はら》を読ませないのだな。俺も、うかつにその男に接触するのは、やめておこう」

「しかし、そんなことで酒は飲まん」

「言いたいことがあるなら、言ってみろ、林冲。おまえらしくない」

「人に言えるようなことではないと思っていたが、おまえならいいだろう。坊主でもあることだしな」

「そうだ。俺は坊主だ。十二歳で剃髪《ていはつ》得度し、しかしながら破戒を重ね、暴れ回り、数々の寺を追い出され」

「もういい。私は、最近、心が苦しくて仕方がないのだ」

「ほう。まるで女子《おなご》に惚《ほ》れたような」

「逆だ。私は、妻がいた方がよかろうと、私に好意を持っていそうな女を、こちらから口説いて娶《めと》った。みんないい妻だと言うし、事実私もそう思う。しかし、私は惚れているわけではない。そのくせ、情欲は抑えきれず、毎日でも抱いて狂わせるという始末だ」

「それの、どこが悪い」

「妻の心は、ますます私にむいてくる。日々、美しくなりもする。しかし、私は惚れていない。時には、妓楼《ぎろう》でほかの女の躰を愉《たの》しんだりもするのだ」

「それはおまえ、惚れていないのではなく、惚れていなかったというだけのことだ。娶る時は惚れていなかったが、ともに暮している間に、気持が変ったということだ」

「女にうつつを抜かせるか。私には、やらなければならないことがあるのだ。開封府に心を残すようなことは、してはならぬ」

無理をするな、という言葉を、魯智深は呑《の》みこんだ。人には、それぞれの闘いというものがある。女ひとりで志を潰《つい》えさせるのも、また人間なのだ。

「俺がどうこう言えることではないが、男が妻ひとりを幸福にすることぐらい、難しいことではなかろう。おまえの気持がどうであれ、奥方は幸福なのではないかな。おまえは出世し、そして毎日のように抱いてくれる」

「これは、仮の姿だぞ、魯智深。われらが志した戦がはじまれば、私は開封府を捨てなければならん」

「それは、その時に考えればいい。いまから悩んで、どうなるものでもあるまい」

ひと晩、林冲の酒に付き合った。

魯智深の頭の中には、官軍兵士の名がいくつもある。どこかでこちら側にひき寄せるにしても、いまはまだ兵士のままだ。軍内にいて、しかもこちら側というのは、禁軍武術師範室にいる、この林冲のほかわずかだった。

こちら側というが、政府側と較《くら》べると、ほとんどその存在がないほどに小さい。

魯智深が開封府に戻った理由は、別にもうひとつあった。北京大名府《ほっけいたいめいふ》の大商人がひとり、この時期、開封府に商談に現われるはずなのだ。その男と、どこかで接点を持っておきたかった。北京大名府では名の知られた商人だが、ひそかに塩を扱っている気配がある。それも、相国寺を通ったものをだ。

その男が、都大路に面した旅館にいることが確認できたのは、それから三日後だった。

その旅館を、魯智深は見張った。人を尾行《つけ》るには、目立ちすぎる容貌《ようぼう》であることは、自分でもわかっている。だから、いつも自然に振舞った。

その商人が従者を連れて出てきた時も、魯智深は尾行《つけ》るのではなく、同じ方向にむかって歩いた。都大路である。人は多い。

相国寺のそばまで来た時、役人が二人、主従を呼び止めた。金のありそうな人間に、そうやってわずかな銭をたかる。開封府では、めずらしくない情景だった。若い、女のようにきれいな顔立ちをした従者が、丁寧に頭を下げ、役人に銭を渡した。渡されたものが思ったより高額だったのか、逆に役人の方が頭を下げて立ち去っていく。

あまりやってはならないことだった。

魯智深は、道端の酒売りから、桶《おけ》一杯の酒を買い、それをひと息で飲んだ。商人は九尺（百九十八センチ）はあろうかという偉丈夫《いじょうふ》だが、なにしろ身なりもよすぎる。しかも、秀麗な容貌の従者がひとりである。

役人に必要以上の銭を渡したのを見ていた者たちが、少しずつ集まってきた。再び後ろを歩きながら、魯智深はその人数を数えた。六、七人はいるようだ。

なかなかの連携で、ごろつきどもは二人を囲むようにし、その輪を縮めた。囲まれた二人に、動じたふうはない。従者が、銭を出す素ぶりをした。このごろつきどもも、銭で引きさがるだろう、と魯智深は思った。思った時は、躰が動いていた。ごろつきのひとりに、肩からぶつかった。全員が殺気立って、魯智深の方に顔をむけた。

「どけ、邪魔だ」

ごろつきどもを見おろし、魯智深は言った。

「なんだと」

ちょっとうろたえたように、ひとりが叫んだ。魯智深も、身の丈は九尺である。一対一でむかい合うと、大抵はそれだけで圧倒する。しかし七人は、数を恃《たの》んでいた。

「どけだと、この坊主」

言ったひとりを、魯智深は殴り飛ばした。鞠《まり》のように転がった男が、立とうとしてふらつき、大の字に倒れた。二人目は投げ飛ばし、三人目は蹴《け》りあげて踏み潰《つぶ》し、四人目と五人目は、同時に抱えあげ、頭から落とした。ほんの、五歩か六歩動く間だった。残りの二人は、茫然《ぼうぜん》として見ている。倒れた者が身を起こし、這《は》うように逃げていった。

魯智深は、主従の二人に眼をやった。従者の方が、とっさに庇《かば》うような動きをした。かなり、腕が立つ。ごろつき相手でも、充分にひとりで闘えただろう。

「なんでも銭で済むと思っている、亡者《もうじゃ》だな。開封府にも、おまえらのようなやつが増えた」

言い放って、魯智深は歩きはじめた。行先は、相国寺である。

酒の匂いをさせていたが、門番は黙って通した。以前、追い返そうとしたので、殴り倒したことがある。酔っていないと言い張った魯智深に、僧たちは経を誦《よ》んでみろと言った。魯智深は、つかえることなく経を誦み、酒は飲んでいるのではなく、浴びたのだと言った。もともと酒好きで、頭から浴びてその匂いに包まれても、決して飲まないでいられる修行をしているのだ、と言い募った。

それ以来、魯智深の酒の匂いは、咎《とが》められることがなくなった。

相国寺は、魯智深がかつて入山していた、代州雁門県《だいしゅうがんもん》の五台山《ごだいさん》の長老が、若いころを過ごしたところだった。知り合いの僧も多く、魯智深はよく使いに出されたものだ。そのころ親しくなったひとりが、いまは僧房でいい顔になっていた。外で女を囲ったりしていて、そんな世話をしてやったのも魯智深だった。塩の情報を手に入れようと、なにかとよくしてやっているが、いまのところ手がかりになる言葉もない。

僧房で時間を潰した。商人の主従が、相国寺に入ってきて、本殿の方へ行くのが見えたからだ。

主従が寺から出ていこうとしたのは、二刻（一時間）ほど経《た》ってからだった。女への届けものを預かると、魯智深も山門へむかった。商人の方が魯智深に気づき、足を止めて待っていた。

「なにか、俺に用か？」

魯智深は、商人を見据えて言った。やはり魯智深と同じほどの背丈で、九尺にちょっと足りないというところだろうか。眼は穏やかで、茫洋《ぼうよう》としている。

「これは、相国寺のお坊様でございましたか。私に、なにかお話があるのではございませんか？」

従者は商人の背後に立っているが、いつ襲われてもいいように、身構えているのはわかった。

「たまたま、歩く方向が同じだった。役人に絡まれて、銭を渡すのを見た。俺のほかにも見ていたやつらがいて、そいつらが絡んだ。俺は気に食わなかった。役人も、それに銭を渡すあんたも、さらにたかろうとするごろつきどもも。そういうことにしておこうか」

「それでも、お礼は申しあげなければなりますまい」

「いいんだよ、盧俊義《ろしゅんぎ》殿。北京大名府の大商人とは、知り合いになっておくのも悪くないからな」

「私を、御存知でしたか」

「俺も、時々北京大名府に行く。あの街の方が、ここよりずっと静かだな。ごろつきの数も少ない。開封府を歩く時は、頼りない従者ではなく、もっと強く見えそうな連中を、五、六人雇うんだね」

「これは確かに使用人でございますが、幼い時からわが家で育ち、息子同然の者でございますよ。ところで、お坊様のお名は？」

「魯智深。間違えないでくれ。相国寺の坊主ではなく、用事があって来ただけだ」

「さきほどのお礼があります。とにかく、どこかで茶など」

「それはありがたいな。のどが渇いていたところでね」

山門を出、都大路をしばらく歩いた。九尺もの男が二人いると、さすがに絡んでくる者はいない。都大路は、相変らず人が多かった。

小さな店に入り、卓を挟んでむかい合った。

「燕青《えんせい》と申します」

従者が、小さな声で挨拶をした。

「燕青殿か。ひとつだけ言っておこう。銭を渡すなら、殺気は見せるな。五、六人のごろつきなら、打ち倒せる腕は持っている。見る者が見れば、それはわかる」

「ほう、燕青の腕を見抜かれたか。まあ、さきほどの手並みだ。それも不思議はないか」

盧俊義は、じっと魯智深を見つめていた。やはり穏やかな視線だが、口もとに頑迷なほどの意志の線が見える。

盧俊義が、相国寺に入る闇の塩を扱っているかもしれないというのは、魯智深の推測にすぎなかった。もとは北京大名府の質屋で、いまは衣類や、米をはじめとする穀類も扱う大商人になっていた。本業で充分に利益をあげているはずだが、生活は派手ではない。塩は、別の目的のために動かしている、と思える。

「俺は、銭を必要としている。俺の親分をはじめとする一党だが」

「なんのために？」

「戦だ」

「どこと、戦をされる？」

　戦と言っても、盧俊義は驚いた表情は見せなかった。

「この世の不条理と。人を腐らせる魔ものと」

「魔よけの寄進は、さきほど済ませたがな」

「寺への寄進で、充分と思われるか？」

「さあ。気持は楽になるが」

「盧俊義殿の寄進は、その辺の小店の主人がする程度のものではないか。それに、北京大名府に、寺がないわけではない」

「私のことを、調べているのか？」

「多少は。政府の密偵などではないぜ。俺はただ、一緒に戦をしてくれる相手を求めている。武器だけで、戦はできん」

「その相手が、私かね」

「さあ。俺は国じゅうを歩き回り、戦をやりたそうな人間の目星をつけている。その中に、あんたがいた。俺が勝手にそう決めた」

「この世の不条理と、戦をすると言ったね」

「説明がいるかね、この世の不条理に」

「いや」

盧俊義は、出された茶に手をのばした。

「話だけ聞いておこう、魯智深殿」

魯智深は頷《うなず》いた。これ以上踏みこむ材料は、なにもない。

「ところで、なぜ出家されておる？」

「させられた。十二歳の時だった。方々の寺の世話になった。しかし、俗世に捨てきれぬものがあってな。この世の不条理が、俺の父を殺し、母を死なせた。父は、密州の塩職人だった」

これぐらいまでだろう、と魯智深は思った。自らのことも、多少語る。それが、魯智深の人への接し方だった。

「この燕青の両親も、言ってみればこの世の不条理に殺された」

「そうなのか」

魯智深が視線をむけると、燕青はうつむいた。細かい事情は、訊《き》かなかった。

「兄弟だな」

「兄弟？」

「そうだ。しかし、俺たちの兄弟が、この世に多すぎると思わないか、燕青」

燕青は黙っている。盧俊義の茫洋とした眼が、魯智深を見つめていた。

二

酒を飲んで、家へ帰った。

張藍《ちょうらん》が、笑顔で迎えてくる。このところ、そういう日が続いていた。

師範に昇進した林冲は忙しいのだ、と張藍は思いこんでいる。従僕がひとり付き、俸給もいくらかあがったが、それがどうしたという程度でしかなかった。

槍術師範になろうと、身分は低い。最下級の将校にも及ばない、惨《みじ》めなものだった。槍《やり》の稽古をつけていても、手加減をしろと命令口調で言ってくる将校もいる。王進はそんなことは気にせず、容赦《ようしゃ》なく突き倒していたが、林冲にはそれができなかった。

身分とはなんなのだ、としばしば考える。槍術師範は、兵でもなく、将校でもない。時には集団戦の調練をやり、一隊を指揮することもある。それでも終れば、やはりただの槍術師範なのだ。武術に敬意を払う上級将校もいれば、家柄だけで将校になった若造が、横柄な命令をしてくることもある。槍を一刻（三十分）構えさせたら、その重さで尻を落としてしまうような連中だ。

そんな連中に槍など教えたくもないのに、命令口調でなにか言われ、ついついおもねっている自分を発見する。酒を飲まずにはいられなかった。

このままでは、自分は腐っていく。ほかの者とは違う腐り方だが、腐肉になってしまえば同じだった。自分が毀《こわ》したいものの中にいて、なにもできないでいる苦痛は、魯智深にはわからないだろう。

張藍が用意した夕餉《ゆうげ》を、口にしないことが多かった。酔った勢いで、そのまま張藍を寝室に引っ張り、けもののように抱く。なにも知らない張藍は、それが男と女というものだ、と思いこんでいるふしもあった。

それも、林冲を苛立《いらだ》たせた。苛立った分だけ、また張藍を責めあげ、暗い自己嫌悪の中で、息を荒らげている張藍の痩《や》せた裸体を見おろすことになるのだ。

原野を駈けたかった。思うさま、槍を執《と》って闘いたかった。まだ時機ではない。魯智深は、そう言うだろう。しかし、こんなことに時機などというものがあるのか。

ひとりでも、闘う。それを見て、誰かが加わる。気づくと五人になり、十人になり、いつか一千二千になっている。そういう闘い方はないのか。力を蓄えている間に、燃え尽きてしまうものも、あるのではないのか。

いま自分がやるべきことを、林冲は忘れているわけではなかった。禁軍内部を探ることは、槍術師範の立場では完全ではないが、稽古の合間の将校たちの噂話《うわさばなし》など、いくらでも聞くことができた。手なずけている禁軍府の小者《こもの》を使って、その真偽を確かめられる。

しかし、禁軍はもう腐っていた。高俅など、まともに戦などできないだろうし、童貫の直属の部隊は、ほとんど私兵に近いものになっているのだ。

寝室ではない場所で、張藍を抱いた。従順さというものも、時には鼻白む。いつどこで抱こうと張藍は言いなりで、そして充分に反応を示す。反抗的な張藍など、望みようもなかった。その眼《まな》ざし、その仕草、すべてが林冲にむいている。そして人に指摘されるほど、張藍には色気が出てきた。それもまた、林冲にむけられている。

秋も深まってきた。

魯智深は、二度ばかり姿を見せたが、いずれも三日ほどの滞留で、またどこかに消えた。

魯智深は、塩の道を探っている。しかも、闇の道だ。塩は、茶や酒と並んで政府の専売で、製造した者が勝手に売ることはできない。特に、塩の管理が厳しかった。その分だけ、闇も儲《もう》かるということだ。各地で塩賊の被害が出ていたが、闇に流れるものの大部分は、開封府からだった。

闇の道をひとつかふたつ押さえれば、相当の軍資金になる、と魯智深は踏んでいるようだった。人を捜すのも魯智深の仕事だが、塩には別の思いがあるのだろう。密州で塩の製造の職人であった魯智深の父は、役人の横流しの身代りで処断された、という話を聞いたことがある。

ある夜、林冲は、手なずけている禁軍府の小者二人を相手に、酒を飲んでいた。背中に、なにかを感じた。それは気配のようでもあり、視線のようでもあった。このところ、しばしばこういう感じに襲われる。気のせいだ、と自分に言い聞かせた。李富の、ちょっと冷たい視線を、気にしてばかりいる。それが、出仕を終えても、まだ続いているような錯覚があるだけなのだ。

「槍術師範の、林冲先生でござんしょう」

不意に、声をかけられた。後ろで飲んでいた、初老の男だった。

「こんなところで酒を飲んでおられても、別に構わないですが、家に帰られたらとあっしは思います」

「余計なことだ」

「承知の上で、申しあげるんでござんすが、先生が酒を飲んでいる間に、奥方は間男をとっているかもしれませんぜ」

「馬鹿な。俺を怒らせようというのか」

「余計なことを承知で申しあげてるんでさ。なにしろ、評判の美人だ。禁軍の兵隊も騒いでるって話じゃねえですか」

あの女は、俺しか見ていないのだ。そう言いかかったが、黙ったまま、男を無視して盃《さかずき》を口に運んだ。男も、それ以上言おうとはしなかった。

「帰る」
二、三杯飲んだが、落ち着かなくなった。小者二人も、言葉が少ない。
いつもの家だった。なんの変りもないと思ったが、人の声がした。張藍が、若い男とむき合って座っている。

「何者だ」

言うと同時に、林冲は剣を抜き放っていた。

待てという男の言葉と、あなたという張藍の叫びが重なった。次の瞬間、林冲は男の躰を、頭蓋《ずがい》から両断していた。

「おまえはこの男と」

「なにを言われるのです、あなた。高俅様からの御使者を」

「使者だと？」

「あなたのお帰りを待つと言われたので、私がお相手をしていたのです」

「高大将からの、使者」

「私が用件を承《うけたまわ》ります、と申しあげたのですが」

両断されてはいるが、確かに禁軍府で見かけたことのある顔だった。

「私は、高大将の使者を斬《き》ったのか」

それきり、言葉が出なかった。張藍も、黙っている。衣服が乱れているわけでもなく、話をしていただけだということがわかった。

「おまえが、間男を家に入れている、と耳打ちした者がいた」

どこかで、嵌《は》められた。どういう嵌められ方かわからないが、間違いなく嵌められている。逃げる。まず、それを考えた。張藍も伴うのか。女を連れて、逃げきれるのか。

「あなた、亡くなった方には申し訳ありませんが、この御使者が私に無法を働いた、ということにしましょう。私が手籠《てご》めにされているところに、あなたが戻ってきたのだと」

「しかしな、張藍」

嵌められているのだ。そして、この手で人を斬った。嵌められている以上、まともな弁明など許されるわけがない。いや、この男を斬ったことについて、まともな弁明などあり得ない。張藍が、嘘《うそ》を申し立てるしかないのだ。

混乱していた。張藍が申し立てをすれば、許されるかもしれない、という気もしてきた。間男というのは、一緒に飲んでいた二人の小者も聞いたはずだ。

逃げる。それが正しい。頭では、そう考えていた。嵌められているのだ。しかし、誰が自分を嵌めるのか。

「あなた、落ち着いてください。私が、きちっと申し立てをして、あなたに間違っても罪がかからないようにします」

「おまえは」

「私のために、あなたは人を断ったのですから。私は、その愛に応《こた》えなければなりません」

言葉が、見つからなかった。不意に、張藍が衣服を自分でむしり取り、髪を乱した。

玄関に人の気配があることに、はじめて林冲は気づいた。

「旦那《だんな》」

さっきまで一緒に飲んでいた、小者二人だった。

「大丈夫ですか、旦那」

それから、小者があげる叫び声が耳に届いた。叫び続ける小者の口を、林冲は掌《てのひら》で押さえつけようとした。しかし手には、剣を持ったままだった。

近所が騒がしくなり、人が集まりはじめた。

林冲は、血が拡がった床に座りこんだ。

気づいた時、林冲は役人に両脇《わき》を押さえられていた。そのまま禁軍府に連行され、牢《ろう》の中で朝を迎えた。

取調べのために、牢を出された。

「わしの使者を、見事に両断したそうだな。腕だけは認めてやろう。さすがは、禁軍の槍術指南だけのことはある」

高俅の顔が、すぐそばにあった。酷薄そうな笑みを、顔に浮かべている。

「おまえの女房が、手籠めにされそうだったと泣き叫んで訴えておるが、ほんとうにそうだったかどうか、躰を調べてみることになった」

「躰を、どうやって」

「決まっておろう。手籠めにされていたら、男の精が躰に残っている。それが認められたら、おまえは無罪だ。禁軍付きの医師が調べるが、立会い人もいる。志願する者が多くて、どうやって選べばいいか、いま迷っておる。評判の美人の、秘処の奥まで覗《のぞ》けるのだからな」

「妻は？」

「手籠めにされたが、精を放つ前におまえが戻ってきた、と言っている。まあ、認められまい」

「間男がいる、と言った者が」

「それも、おまえの妻が言っている。勝手なことを言うな。おまえと飲んでいた小者は、いつもの通りだったと言っているぞ」

「そんなことはありません」

「とにかく、まずおまえの妻の秘処を調べることにする。立会うのは、私でもよいかな？」

「高俅様。私の首を、刎《は》ねられよ。妻の申すことなど、相手にされますな。私を庇おうとして言っているだけです」

逃げるべきだった。斬った瞬間に、ほかのことはなにも考えず、ただ逃げるべきだった。

部屋に、別の一団が入ってきた。真中にいる男を見て、林冲は鳥肌を立たせた。

「高俅様、ここは私が」

「そうか。で、女房の方は？」

「放っておけばよいでしょう。夫を庇おうと、必死で嘘をついているのですから」

「あれだけ言い募っているのに、なにも聞かぬということもできまい、李富」

「ならば、高俅様がお好きなように、お調べください。私が用があるのは、この男の方なのですから」

その言葉が耳に入った瞬間、誰に嵌められたのか、林冲は悟った。つまり、こういうことだったのだ。

「では、わしは女房の申し立てを聞いてやろう。医者が必要だと思ったが、それもいらぬな」

「いかようにも、お好きなように」

李富の口調は、高俅を早く部屋から追い出したがっているようだった。

高俅が、何人かを連れて出ていった。

「いまから、取調べをはじめる。はじめにひとつだけ言っておく、林冲。おまえが助かる道は、ひとつしかない。知っていることを、すべて吐くことだ」

李富の口調は、いつもとまったく変りなかった。眼に、表情もない。

「おまえが高大将の使者を殺したのも、関係ない。殺すところまでやると、私は思っていなかったがな。訊くことに答えれば、殺したことも不問にしてやろう」

この部屋で聞くかぎり、すべてを仕切っているのは高俅ではなく、李富だった。二人で交わした言葉を思い返しても、李富が高俅を指図しているようにさえ感じられた。

「聞きたいことを、はじめに言っておこう。おまえは、誰に使われているのか。禁軍内部を探っていたのはなぜか。それから、魯智深という僧と、どういう関係にあるのか。それだけを、喋《しゃべ》って貰《もら》いたい」

嵌められた意味も、これで理解できた。つまり、李富ははじめから林冲を疑っていて、いろいろと訊き出せる状態を作りたがっていただけなのだ。李富の仕事は、叛乱《はんらん》の分子を洗い出すことなのだろう。

弁明は無駄だ、と林冲は思った。人を斬り殺したことさえ、李富は問題にしていない。巧妙に隠し続けてきた自分の正体に、李富は気づいたということだ。魯智深のことさえ、摑みかけているのかもしれない。

「さてと、どこから答える、林冲？」

喋ることは、なにもない。ひと言も喋らず、拷問を受けて死ぬしかない。肚を決めた。死ぬと決めたら、混乱した自分はどこかへ消え、闘志だけが湧《わ》いてきた。これも、闘いなのだ。自分が、敵だと思い続けてきたものと、正面からむかい合った闘いなのだ。

「苦しい思いをするぞ、林冲。死ぬ覚悟をしたところで、すぐには殺さん。死んで、楽になれるとは思うな」

闘いがはじまった。林冲はひと言も、言葉を発しなかった。質問をくり返すのは李富を入れて五人で、会ったこともない者ばかりだが、みんな李富に似ていた。

夕刻まで、なんと言われようと、林冲は眼を閉じていた。頭の中では、戦をはじめた時のことを考えた。童貫の大軍がいる。高俅の大軍もいる。しかし自分にも、数は少ないが精強な騎兵が従っている。同志も、別の部隊を率いて、こちらへむかっている。

不意に違う声がしたが、林冲は眼を開かなかった。

「女房は、ずいぶんとおまえに惚れているではないか、林冲。今日のところは、やさしくしておいた。久しぶりに、わしの男が疼《うず》いたのでな。わしに頼めばなんとかなる、と思わせてはおいたぞ。わしの一存で、おまえをどうにでもできるとな」

林冲は、眼を開かなかった。張藍のことを聞かされると、心が乱れる。それを抑えるためにも、睫《まつげ》ひとつ動かしてはならないのだ。

「明日は、禁軍府にではなく、わしの屋敷に来るように言ってある。どんなことでもする気になっているようだが、おまえの女房にとっては地獄だぞ。明日だけでは済まないのだ」

林冲は、眼を開かなかった。質問は深夜まで続き、水も与えられずに牢に戻された。

翌日も、同じ質問がくり返され、夕刻に高俅が現われた。

「よく仕込んであるの、林冲。おまえの女房は、涙を流しながら、自ら脚を開いたぞ。肌の白い女だ。抱いていると紅潮してくる。なんとも言えぬよい味じゃ」

かっとするものを、林冲は抑えた。

「わしひとりで見るのは惜しいのでな。明日は、高官を何人か呼んで、見物して貰おうと思う。相手をするのは、おまえよりずっと巨体の、屋敷の下男が二人でな」

これは夢だ、と林冲は自分に言い聞かせた。夢の中で怒ったり悲しんだりしているだけで、眼醒《めざ》めれば忘れる。

牢に戻される前に、わずかな水を与えられた。それは、さらに渇きをひどくする程度の水にすぎなかった。

翌日、高俅が現われたのは、やはり夕刻だった。

「泣き叫んだぞ。それでも全身を紅潮させて、何度も気をやりおった。おまえの名を呼びながらな。二人の男に、代る代る、六刻も凌辱《りょうじょく》され続けたのだ。終ったあと、おまえの命乞《ご》いをする分別すら、残っていなかった。眼が潤んだままでな。あれはけだものに変身していくな、林冲」

眼を閉じていた。怒りがあるのかないのか、はっきりわからなかった。

しばらくして、質問が途切れた。

「悪い知らせだ、林冲」

李富の声だった。

「奥方が、おまえの家で首を吊《つ》って死んだ。いま、知らせが入った」

抑えていたものが、切れた。林冲は、高俅に飛びかかっていた。しかし、首に手が届く前に、躰が宙に浮き、床に落ちた。両足首を、鎖で繋《つな》がれていたことを、林冲は思い出した。

「今すぐ、ここを出してやるぞ。言ってしまえ、林冲」

耳もとで、李富の声がした。躰が引き起こされた。座った姿勢になると、林冲は眼を閉じた。一瞬の激情だった。張藍という女も、夢の中にいただけだ、と思った。

牢に戻されても、眠れなかった。のどの渇きがひどい。

牢番の兵が、柄杓《ひしゃく》の水を差し出してきた。

「俺は、あんたに槍を習ったことがあるのだよ、林冲先生。食いものは無理だが、水だけなら内緒でやれる」

牢内に差し出された柄杓に、林冲は飛びついた。ひと息で、飲み干す。躰が衝撃を受けた。濃い塩水だったのだ。のたうち回り、指をのどに突っこんで、吐こうとした。少しだけ吐いたが、口に戻ってきた塩の味が、耐え難かった。

「確かに槍は習ったが、いやというほどあんたに突き倒されてな。その礼だ」

牢番の高笑いが聞えた。

林冲は、呻《うめ》きを抑えた。上体を起こし、座り、眼を閉じた。

三

林冲が捕縛されたことを、魯智深は済州《せいしゅう》鄆城県に戻った時に、宋江《そうこう》から聞かされた。何人かの間者《かんじゃ》を、宋江は開封府に配していたので、情報はすぐに入ったらしい。

捕縛され、すでに二十日経っていた。

「林冲は、命だけはまだあるだろう」

宋江の家である。鄆城県の役人というのが、宋江の表の顔だった。民のことを考えて、あまり無理なことをしない、という評判の役人である。

「助ける手だては、ないものでしょうか。林冲を失うのは、いかにもつらい」

「しかし、おまえが開封府に入るのは、危険だと思う」

確かに、自分はしばしば開封府の酒場で林冲と飲んでいた、と魯智深は思った。しかし、宋江のように平静ではいられない。

「なんの嫌疑で、捕縛されたのでしょう？」

「人を斬った。林冲の家でだ。奥方の不貞と言う者もいるようだが、わからんことが多いのだ」

「罠《わな》の臭《にお》いがしますね」

「私も、そんな気がしている」

もうひとつ、早急に考えなければならないことがある。宋江に手が及んでこないか、ということだ。林冲は、宋江を知っている。捕えた者が、それを吐かせれば、どういうことになるのか。自分の安全より、まず宋江だった。

「鄆城を動く理由を、なにか見つけてください、宋江殿」

まだ手が及んでいないということは、林冲はなにも喋ってはいないのだ。しかし、いつもは用心深すぎるほどの宋江が、なぜ鄆城にじっとしているのか。

「私は、ここを動くまいと思う。危険があることは承知だが、今度だけは、私はここに留まる」

「なぜです？」

「林冲を、信じたい。林冲ひとりさえ信じきれず、なんの大義の戦だ、と私は思う」

「お気持は、わかります。しかしいま、宋江殿を失えば、われわれはどうなるのです」

宋江のほんとうの姿を知っている人間は、魯智深も含めて、六名いた。それぞれが、諸国を放浪したり、地方で官職についていたりするが、宋江との連絡は欠かしていない。それぞれが目的を持っているのだが、まだうまくはいっていなかった。魯智深も、いまのところいたずらに全国を歩き回っている、という恰好《かっこう》だった。

「私が死ねば、私の志はその程度のものだった、ということだろう」

「死ぬのを避けることができても、避けずに死んでしまう。それは、志への冒瀆《ぼうとく》ではありませんか。同志への裏切りでもある」

強い言葉を使っても、宋江が怒り出すことはまずない。そのくせ、呆《あき》れるほど頑固でもある。

「魯智深。林冲は苦しんでいるぞ。言語に絶する拷問を受けて、それでも耐え続けているのだぞ。二十日経っても誰も来ないところを見ると、私の名は口にしていない。私はここで、林冲を信じ続けたいのだ」

「わかりました」

よくも悪くも、これが宋江だった。思想や信条だけではない。こういう人柄にも、魅《ひ》かれたのだ。ほかの五人もそうだろう。

各地にいる四人は、それぞれ同志を得ているかもしれない。しかしまだ、宋江を表に出す時期ではなかった。

花栄《かえい》は、青州《せいしゅう》の軍人である。武松《ぶしょう》は宋江に会ったあとも諸国を放浪し、戴宗《たいそう》は江州《こうしゅう》で牢役人をしている。宋江のそばには、雷横《らいおう》がいる。鄆城県の歩兵部隊の将校で、毎日のように顔を合わせているのだ。その雷横に連れられて、このところ朱仝がよく宋江のところに話に来るようだが、まだほんとうの姿は知らない。朱仝は、この間まで開封府で禁軍に所属していて、魯智深も林冲からその名を聞かされていた。飛ばされたところが鄆城県というのも、なにかの縁だろう。

宋江が各地に放っている間者は、戴宗の手下だった。牢役人をしながら、飛脚商売をやるという、おかしな男だった。速く駈ける者は、四人の中から選び出しているらしい。だから、間者の情報が宋江に伝わるのも速かった。

「宋江殿が、鄆城県を動かれない、というのはわかりました。ただ、万一宋江殿が捕縛されるようなことがあれば、われわれはどうすればいいのでしょうか？」

「おまえが、ほかの者をまとめればよい」

「任ではありません。志は別として、誰かの命を受けて動く。私には、その方が合っています。それは、宋江殿も見通しておられるはずです」

宋江が、眼を閉じ、腕を組んだ。実際に宋江がいなくなったとすると、同志は散り散りになる。中心にいるべき人物というのは、やはり必要なのだ。言葉では表現できないが、宋江はそういう人間だった。

魯智深が宋江と会ったのは十六歳の時で、宋江は十七歳だった。それ以来の付き合いになる。諸国修行中、宋家村《そうかそん》の寺に、二年ほど滞留したのである。宋江は、保正も兼ねている農家の息子だったが、寺へはよく来て、あまり年齢の違わない魯智深とよく話をした。仏法のことしか学んでこなかった魯智深にとって、宋江の話は新鮮で興味深いものだった。特に、歴史の話を、魯智深は熱心に聞いた。前漢《ぜんかん》、後漢《ごかん》から隋《ずい》、唐《とう》のころまで、一緒に書物を読んだ。

その宋江が、十九歳の時、ひと月寺に籠《こも》った。毎日、椀一杯の粥《かゆ》と水を少しで、それを運んだのは魯智深だった。

ひと月経って出てきた時、色黒だった宋江の顔が、青白くなっていた。

「国の姿というものについて、私は考えた。これからも、考え続けていこうと思う」

宋江が言ったのは、それだけだった。なにか、自分には及びもつかないことを、宋江が考えはじめたのだ、と魯智深は思った。

あのころ、魯智深は、国や制度などということより、旅をしたくて仕方がなかった。国の中に、見ていないものが多くありすぎると思っていた。

宋江が寺に籠った時から半年後に、魯智深は旅に出て、六年後に戻ってきた。宋江は、県庁の役人になっていたが、二人きりになるとやはり国のことを喋った。六年旅を続けた魯智深には、宋江の言うことが、しみこむようによくわかった。

宋江が喋ったことを書きとめたのは、魯智深である。小さな冊子になり、これはと思う人間に出会うたびに、それを読ませた。放浪中の林冲はそれを読んで涙を流し、鄆城県に来てふた月宋江とともに暮した。花栄も、それを読んだ。放浪中の武松は、鄆城内で宋江と出会い、すぐに魯智深とも会った。字など読みたがらぬ男だったが、宋江を父、魯智深を兄と呼ぶようになった。戴宗に読ませたのは、魯智深である。雷横は、鄆城県で将校を続けながら、宋江に心酔しはじめ、同志となった。

やはり、宋江を中心にして、人が集まったのだ。

「魯智深、おまえは、東渓村《とうけいそん》を知っているか？」

「ここからそう遠くない、東渓村ですか？」

「そうだ」

宋江は、まだ眼を閉じ、腕を組んだままだった。

「東渓村の保正で、晁蓋《ちょうがい》という者がいる」

「托塔天王《たくとうてんおう》と呼ばれている、豪傑だという話は聞いたことがありますが」

なんでも、西渓村《せいけいそん》に建てられた供養塔が東渓村に害をなすので、深夜、単身渓川《けいせん》を渡り、その供養塔を担いできた、という噂があった。それ以上のことを、魯智深は知らない。しかし東渓村といえば鄆城から遠くなく、軍の管轄内にも入っているはずだ。

「私に万一のことがあれば、東渓村の晁蓋のもとへ行け」

「行けば、なんとかなるような男なのですか、晁蓋は？」

「なる」

「どういう男なのです？」

「これぞ、英雄。私がそう思っている、ただひとりの男だ」

名を聞いているだけで、晁蓋という男と、魯智深は会ったことがなかった。人に会う前に、予断は持たないようにしている。しかし、これぞ英雄と、宋江ほどの者が言ったのだ。

「宋江殿は、会われているのですね？」

「何年も前から、私は晁蓋を見ていた。晁蓋もまた、私を見ていた。ひそかに会い、国について語り合うようになったのは、三年ほど前からだろうか」

「それで？」

「私と、すべての考えが一致しているわけではない。しかし、目指しているところは、見事なほど一致している」

「晁蓋は、いまのこの腐った世を、どうやって破壊しようとしているのですか？」

「民の蜂起《ほうき》による、政府の打倒」

「それは、われわれと」

「もっと直接的だ。どこかで政府の一点を突破すれば、それで叛乱は燎原《りようげん》の火の如《ごと》く拡がる。国作りとは、その火をひとつの方向にむけ、古いものを焼き尽し、そこに新しいものを作ろうとすることだ、と明晰《めいせき》に考えている」

「なるほど。それなら、政府のどこを突破するか、ということですな」

宋江が、眼を開き腕組みを解いていることに、魯智深はようやく気づいた。

「晁蓋のもとにも、何人かの男たちが集まっている。私が考えているほどの規模ではないにしろ、全国に人の網を張りめぐらそうとも画策している。民の叛乱が起きても、それは目的と統制を持ったものでなければならない、という認識があるからだ」

「そんな男が、しかも鄆城のすぐそばに、いるのですか」

「いる。私は、晁蓋との出会いは、宿命的なものだった、とさえ思っている」

魯智深は、宋江の口から宿命という言葉が出るのを、はじめて聞いたと思った。人との出会いは縁だ、と言い続けてきた男だ。

「いつか、手を結ぶのですね。その晁蓋と」

「もう、心の中では手を結んでいる。私にとっては、無二の友だ」

宋江は、思慮は深いが、どこか荒削りなところがある人柄だった。女も、あまりうまく口説けない。同志と語る時も、朴訥《ぼくとつ》としている。その宋江が、それほどに言うのである。かすかな、嫉妬《しっと》に似たものさえ、魯智深は感じた。

「晁蓋殿のことは、まだ誰にも言うな。闘うべき相手は大きい。二方向で動けば、片方が叩《たた》き潰されても、志は残る。ともに闘う日までそう遠くはないと思うが、それまではお互いにそれぞれで動く」

「わかりました。鄆城県の小役人と、小さな村の保正を、しばらく続けるわけですね」

宋江が、口もとで笑った。

「いまは、林冲のことだ。さぞ苦しい思いをしていよう」

「酒でも、持ってきましょうか、宋江殿？」

「いや、林冲と会うまで、私は酒を断った」

「そうですか」

「明日の夜明け、おまえを連れて行きたいところがある。馬でだ」

「はじめてですね。宋江殿が私を遠乗りに誘われるのは。誘うのは、いつも私の役目でした。もともと、ものぐさな人だったし」

「いまでも、そうだ」

宋江が、また笑った。

翌朝、轡《くつわ》を並べて出発した。梁山湖《りょうざんこ》に沿った道である。広大な湖水だった。海のようだが、波が立つことはあまりない。北へむかうと、途中で済州と鄆州《うんしゅう》の境界を越えることになる。州を越えると軍の管轄が変るので、戦になった時のために、魯智深は各地の州境の道は調べ、書きとめていた。ここの州境は、梁山湖がまたがっている。戦術としては要地になると以前から思っていた。

およそ五刻（二時間半）も駈けただろうか。

宋江が馬をとめ、降りた。小高い丘の上で、周囲に高い樹木はなかった。

「あれだ、魯智深」

梁山湖の方を指さし、宋江が言った。

「山寨《さんさい》ではありませんか、あれは」

「そうだ」

梁山湖の中にある、大きな島のようなところ。島と言うには岩が多すぎる。ずっと以前から、そこを盗賊が砦《とりで》にしていた。およそ二千から三千はいるといわれ、政府としては看過できない勢力だが、鎮圧できずにいた。

「どう思う？」

「何度か、軍が攻めましたな。ただ、鄆州と済州にまたがった梁山湖の中にある。それがいつも戦を混乱させます。また、あそこを攻めるには、相当に強力な水軍が必要で、政府の腰も、そこまで据わっていない」

「それだけか？」

「山寨に籠る盗賊は、意外に団結が固いようです。統制がとれているし、戦の調練もしているのでしょう。それに、本気で政府を怒らせるような、ひどい盗みは働かない。旅人を襲ったり、遠征して商家を襲ったりというところでしょう」

「もっと大きく見てみろ、魯智深」

「なるほど」

「見えたか？」

「北京大名府《ほっけいたいめいふ》、南京応天府《なんけいおうてんふ》、そして東京開封府《とうけいかいほうふ》、華北《かほく》の三つの大きな城郭《まち》と、ほぼ等距離の位置にあります」

「その通りだ。そして華北を制することが、この国を制することになる」

「まさか、山寨の盗賊どもと、手を結ぼうと考えておられるのでは？」

「盗賊はいらんが、あの地は欲しい。いずれ、あの地を乗っ取ろうと思う」

「政府の軍も、手を焼いている盗賊ですぞ」

「正面から攻めたのでは、とても落とせまい。しかし、方法はあるはずだ。晁蓋も、私と同じようにあの地を見ていた」

「宋江殿と同じと言いますと？」

「あの山寨を、本貫の地にする。あそこに、反政府の旗を揚げる。民の大義を集結させる場所とするのだ」

「あれなら、そう多くない人数でも、政府軍と闘えます」

「人も集まりやすい。力も、蓄えられる。やがてあそこを本拠にして、全国に声をあげると、晁蓋も私も決めている」

場所としては、申し分なかった。ただ、王倫《おうりん》という者を首領とする、三千ともいわれる盗賊を、ほんとうに追い出すことができるのか。下手をすれば、政府軍と闘うより難しい戦になるのではないか。

「攻められぬ、と思っておるな、魯智深？」

「正直に申しあげて、そうです」

「外から攻めるのは、確かに無理だ」

「では、内から？」

「それもたやすくはないが、外から攻めるより、犠牲は少なくて済む。そして、何度でもやることができる」

「それができれば」

「やるのだ、魯智深。口だけで戦はできぬ。拠《よ》って立つ場所があって、はじめて政府とむかい合った戦になるのだからな」

丘の上からは、山寨は巨大な岩山に見える。しかし、奥の方は緑が多い。多分、平地もあるだろう。梁山湖に浮かんだ、途方もない城砦《じょうさい》と言ってよかった。

拠って立つ地は必要だった。国のありようを説き、政府の横暴や、官吏の不正を非難し、闘いの必要をいかに声高に語ったところで、拠って立つ場所が見えていなければ、単なる夢想にすぎないと思われる。

同志に誘おうと、いままで何人もの人間に声をかけてきたが、結局は、どう闘うのかという話になった。闘いたいと思っていても、武器を執って赴く場所すらなかったのだ。

「あそこに、まず国を作る。小さな国だが、大きな理想は持っている。われらは、叛乱を起こすのではない。この国に不満なるがゆえに、新しい国家を作り、この国と戦をするのだ。いわば、国と国の戦だ」

宋江の視野は、さすがに広かった。国がこれだけ腐っていても、新しい国を作って闘うなどということを、誰が考えることができるだろうか。

全国を放浪して、同志を集めるなどという仕事は、自分のような者がやればいいのだ。そして宋江は、仰ぎ見る理想の象徴であればいい。

「なにか、心の底から血が燃えてきました、宋江殿」

「いつも冷静な、魯智深の血がか」

宋江が笑った。

湖から、風が吹き渡ってくる。宋江の上衣の袖《そで》が、風に靡《なび》く。いかにも気持よさそうな表情で、宋江は湖を眺めていた。

待ちに待った戦が、遠からずはじまる。

魯智深は、風の中で躰をふるわせた。

四

強さにはかぎりがない。

身にしみて、史進はそう思いはじめた。

いままで、父に金で雇って貰った師匠と、王進はまるで違っていた。教授料は拒み、母子二人の日々の糧《かて》だけで充分だと言った。

銭のために、教える武術ではないのだ。持てるもののすべてを、王進は自分に伝えようとしている。そう感じた時から、史進の中にあった、王進に対する憎悪に似た感情は消えた。

はじめの十日は、必死だった。自分がいままでやってきたことはなんなのだ、と思うほど、王進に打ちのめされ続けたのだ。それがやがて、暗い憎悪になった。隙《すき》を見て殺してやる。そう思って挑みかかり、そのたびに打ち倒された。

「立て、史進。なにが九紋竜だ。九匹の竜は、死にかかっているぞ」

その言葉が、耳にこびりついていた。躰に彫りこんだ、自慢の九匹の竜。それさえ、馬鹿にされた。どうあがき、叫ぼうと、どうしても王進に勝てないのだ。

稽古が終ると、王進の母が待っていて、礼儀作法を仕込んだ。竹の棒で史進の手や脚を叩きながら、言葉遣いから仕草までうるさく言うのだ。

「私は、禁軍武術師範、王昇《おうしょう》の妻で、息子の王進は、こうやって育てたのです」

母の厳しさなど、史進は知らなかった。母については、おぼろな記憶が残っているだけで、育てられたという思いもない。

日に数刻の教授と思っていたが、王進の教え方はそんなものではなかった。疲れきって眠っていると、いきなり棒で打ち据えられる。意地で眠らないようにすると、王進も眠らない。武器は棒だけでなく、槍、剣、弓に及んだ。時には素手で、棒や剣の相手もさせられる。

死ぬに違いないと思った。死んでまでやる武術とはなんなのだ、と何度も考えた。それは大抵気を失う寸前で、次の瞬間には水を浴びせられ、立てと声をかけられた。何度も続けていると、自分がなにを考えているのか、生きているのか死んでいるのかさえ、わからなくなった。

どこかで、それを抜けた。もう絶対に駄目だと思う、その束《つか》の間《ま》の絶望をもちこたえると、その先に広々としたものがあった。どれほど激しく動いても、苦しくない。思った通りに躰が動く。王進はそれを、死域《しいき》と言った。すでに死んでいるから、苦しいものはなにもない。そういうものなのだと言った。死域では、動き続けたまま、死ぬ。二刻で動くのをやめれば、ごく普通の状態のままだが、四刻動くと間違いなく死ぬ。死域を、どうやって自分のものにするかも、武術の修行の大きな要素だと言った。

死域の中にいる自分を、明確に読めるようにもなっている。やがて、あまりひどく苦しむこともなく、死域に踏みこめるようにもなった。

「人間の躰に、限界はあるのだ、史進。しかしそれは、本来限界とされているところより、ずっと先だ。それを、おまえは会得した。躰だけはな。心も同じことを会得するが、それは自分自身でやることだ」

ふた月を過ぎたころから、王進の言うことは、理解というのではなく、心にしみこむようにわかると感じられるようになった。

そしていま、修行は三《み》月を終え、四《よ》月目に入っている。

馬上での槍、剣。馬をどうやって乗りこなすかが、まず第一だった。父に買って貰った自慢の馬がいるが、どうしても王進の馬と同じようには動かなかった。

史進は、稽古のあと、馬体の手入れをし、そのまま厩《うまや》で寝た。王進のように馬を操れないのは、心が通じていないからだ、と思ったのだ。寝るまで、さまざまなことを馬に話しかけた。たえず躰のどこかに触れ、馬が耳ひとつ動かすことさえ見逃さなかった。

話しかけたのは、はじめはその日の稽古のことだけだった。やがて少年のころの話や、おぼろにしか残っていない、母の記憶も喋るようになった。

ある日、馬が思う通りに動いた。馬上で槍を遣っていた時だ。手綱《たづな》で合図を送ることもなく、足で腹を蹴ることもなく、馬は史進がこう動かしたいと思う通りに、動いていた。

「見事だ、史進」

王進が、はじめて褒《ほ》めた言葉だった。

その夜、厩で馬の首を抱いていると、涙が溢《あふ》れ出てきた。馬も、ずっと史進の肩に鼻を押しつけていた。

史家村に、少華山に拠る盗賊が十数人やってきた、という報告が入ったのは、その年が終ろうとしていたころだ。

史礼は、若い者を集めようとしたが、みんなこわがって出てこなかった。

「このところ、若旦那が姿を見せられないので、盗賊どもも史家村に入ってみようと思ったのでしょう。若い者たちも、やはり若旦那がおられないと、こわいのです」

報告に来た者は、そう言って泣きはじめた。

史進は地に正座して、じっとしていた。これから稽古がはじまろうという時だったのだ。

王進は、屋敷の外まで様子を見に行き、戻ってくると史進を呼んだ。

「盗賊は、みんな馬で来ている。おまえも、馬に乗れ」

「私も、盗賊の打ち払いに加えていただけるのですか？」

「加えるのではない。おまえひとりで、打ち払うのだ。武器は棒でよい。ひとりの盗賊も、逃がさず打ち倒せ。その者たちを生捕りにして、奪っていったものと交換するのだ」

「私、ひとりで？」

「自信がないか？」

「ありません。存分に働けるとは思いますが、十数名の相手では、なにが起きるかわかりません。いままで、村の若者が百名集まって、必死に追い返した盗賊です」

「それでいい。自信があるわけがない。あってはならんのだ。しかし、おまえは史家村の保正の倅《せがれ》として、賊と闘わなければならん。おまえがどれほどかは、やってみればわかる。自分で、それをわかればいい」

「ひとつだけ、お願いがあります、先生」

「言ってみよ」

「賊は、村のために打ち払わなければなりません。私が倒れたら、先生に若い者の指揮をお願いできますか？」

「それは、やろう。闘いにむかうおまえに、かける言葉はなにもない。さらば」

史進は、遣い馴《な》れた棒を執り、馬に跨《また》がって屋敷を出た。寒いが、上半身は裸で、九匹の竜が風に晒されている。

十数騎の盗賊は、一騎でやってきた史進を見て、ひとところに集まり、嗤《わら》い声をあげた。

「おい、九紋竜。誰もおまえの言うことを聞かなくなったのか。情ないものだな」

「九回、殺してやろう。それで、九匹の竜も死ぬだろうからな」

史進は、なんと罵《ののし》られようと、相手にしなかった。棒を構える。敵の武器は、槍や剣や鉞《まさかり》とさまざまである。これまで、一対一なら、少華山の盗賊ともなんとか闘えた。村から村をうろついている、ごろつきどもとはやはり違う。

それが十数人。ひとりずつ打ち倒すだけだ、と史進は思った。馬が駈けはじめた。はじめゆっくりと、二騎が出てくると、速く駈けた。交錯する。棒をふた振りしただけで、二騎とも地面に落ちていた。信じられない光景だった。残りが一斉に襲ってきたので、なぜかと考える余裕はなくなった。馬が駈ける。退《さ》がる。また駈けて反転する。十数騎全員を、わずかの間に打ち落としていた。まだ、汗もかいていない。

ひそんで見ていた村人たちが、歓声をあげて出てきて、地面でうずくまっている盗賊たちを縛りあげた。

「若旦那、すごい。わしら、夢を見ているみたいだ」

馬が、勝手に屋敷に戻りはじめた。

屋敷では、王進と父の史礼が、むき合って茶を飲んでいた。

「信じられません、先生。私には、信じられないのです」

「なにが？」

「盗賊たちが、人形のようにしか見えませんでした」

「それが、私が会ったころのおまえだ。私には、あのころのおまえが、人形のようにしか見えなかった」

それ以上、王進はなにも言わなかった。

それから、さらに三月、修行が続いた。

王進が旅立つと言ったのは、寒さが緩みはじめたころだった。

「母は、以前にも増して元気になった。史進に、礼儀作法を躾《しつ》けなければならぬというのが、生き甲斐《がい》になったのであろう。おまえに対する、武術の教授も終った。かねてから考えていた通り、延安府にむかおうと思う」

「なにを言われます、先生。幸い、開封府から先生を追ってくる気配もなく、私はこれからさらに奥義《おうぎ》を伝授いただけるものと、心を躍らせておりました。延安府などと言われず、この史家村で、いつまでもお暮しください」

「そう好意にばかり、甘えるわけにもいくまい。それに史進、武術に奥義などというものはない。ある技倆に達したら、それぞれがひとりで会得したものが、奥義となるのだ」

「私は、まだ学びたいのです。先生に教えていただけるものは、いくらでもあると思っています」

父の史礼も出てきて、史進と同じことを言った。

「私は、史進のそばにいない方がいいのですよ、史礼殿。私は、武術だけの人間です。史進に、そうなって欲しくありません。武術を世の役に立ててこそ、学んだ価値もあるというもの。私には、結局それができませんでしたが、史進はまだ若い。若すぎるほどです。これからは、世に出て自分を磨けばいい」

師がいなくなるということが、史進にはにわかに信じられなかった。いや、信じたくなかった。師がすべて。そんな経験は、生まれてはじめてなのだ。

「おまえは、もっとさまざまなことを考えろ、史進。村とはなにか、家とはなにか、人とはなにか。そして、武術を役に立てろ。私のように狷介《けんかい》な人間になってはならん」

「先生が、目標でした。私の前にある、巨大な山でした。その先生が、急にいなくなるということは、どうしても納得できません」

喋っているうちに、涙が溢れ出してくる。泣きじゃくりながらも、史進は必死だった。

「延安府への旅の途次で、お引き止めしたことは確かです。いま延安府へ行かれると言われるなら、この史進もお供いたします。私は、百姓仕事が苦手です。村の統率は、農夫の気持がわかる人間がやった方がいいと思います。だから、延安府へお供します。さらに旅をされるなら、どこまでもお供いたします」

「いまは、気持が激しているだけだ、史進。私は、教えられることのすべてを、おまえに教えたのだ。あとは、世の中からおまえ自身で学ぶしかない」

「いいえ、お供いたします。先生が私の前からいなくなられることなど、私には考えられません」

まだ学びたい。この師と、闘いたい。思いは、消しようがなかった。打ち据えられようと、史進は付いていくつもりだった。

王進は、穏やかな眼で史進を見つめている。

「それが、礼にかなうのですか、史進？」

王進の母が出てきて言った。

「それが礼だと、私が教えましたか。あなたには、老いた父上がおられる。その父上を放り出しても付いてくるというのが、あなたの礼ですか。あなたに実の父上を捨てさせる、王進の立場はどうなります」

「それは」

「あなたは、父上に孝を尽すべきでありましょう。よいな、史進殿。それが、人の世で言われる道というものです」

父がいる。それはどうしようもないことだった。父も、史進のそばで涙を流していた。

「すっかり、長居をしてしまいました、史礼殿。荷はまとめてあるので、すぐに出発しようかと思います」

全身が冷たくなった。史進は、ひと言も言葉を発することができなかった。

「おまえに会えて、よかったと思う、史進。別れの言葉は言わぬぞ。なぜなら、別れではないからだ。私は、おまえの中で生きている。そう信じている」

王進は、笑っていた。母が、言った。

「私も、若い息子が、いや孫ができたようで、思いがけず愉しい思いをさせていただきました。ここで過ごした時を、私は旅の夜の夢だと思うことにいたします」

父がいる。すでに老いた父だ。ぜひにと、付いていくわけにもいかない。

別れもまた修行だ。そう思うしかなかった。

屋敷の門の前で、馬の轡をとって、史進は待った。やがて、王進母子が出てきた。父が差し出した銭の包みを、王進は受け取ろうとしなかった。史進は手を添え、王進の母が馬に乗るのを助けた。

二人とも微笑《ほほえ》んでいて、ちょっと近くまで出かけてくる、というような素ぶりだった。

二人が立ち去っていく。後姿が、小さくなった。

「これは、夢だったのでしょうか、父上？」

「夢のようだ。しかし、おまえはほんとうに強い男になった」

おまえの中で生きている、と言った王進の言葉を、史進は思い出していた。

天《てん》罪《ざい》の星

一

舳《へ》先《さき》に立っていると、さすがに風が冷たかった。

阮小五《げんしょうご》は、櫓《ろ》と同じ調子で上体をゆっくりと動かしていた。開封府《かいほうふ》を出て十五里(約七・五キロ)ほど進んだ。溯上《そじょう》と言っても、このあたりの流れは緩やかで、櫓手も楽なはずだ。荷も、開封府で降ろした。汴河《べんが》である。実に千四百里(約七百キロ)に及ぶ、長大な運河だった。泗州《ししゅう》と開封府を結ぶ、最大の輸送路である。長江《ちょうこう》(揚子江《ようすこう》)と河水《かすい》(黄河《こうが》)を結ぶと言ってもいいだろう。

泗州で塩を、途中でその土地の産物を積みながら、二十日かけて開封府に到着した。ほかの荷はともかく、塩だけは開封府の決められた埠頭《ふとう》に降ろす。一艘《そう》二百石(約千四百キロ)で、袋の数を役人が数え、時々思い出したように重さも計る。それでようやく、泗州で貰《もら》った証判の横に、もうひとつの証判を貰えるのだ。埠頭の周辺は、禁軍《きんぐん》が警備していて、開封府の民が近づくことはできず、船の者も、荷を降ろしてからようやく上陸できるのだ。

阮小五が率いる三艘の船は、荷を降ろすと二十里ほど先の石炭場までさらに溯上する。帰りは流れに乗るので、空船は許されないが、ほとんど石のような石炭を積みたがる者は、さすがにいなかった。あえてそれをやることで、十日の係留が許されていた。

石炭場に着くと、まず船底の土の袋を担ぎ出す。ほぼ百石であり、それを船底の中央に固定して積むことで、船は安定するのだ。汴河には流れが速いところがあり、そういう場所で船が横向きになったりすると、転覆を防ぐのが、船底の土の袋だった。しかし荷が石炭となると、船底までしっかり積みこむので、土の袋はいらない。

石炭場が見えてきた。舫《もや》いを取ると、阮小五は、すぐに土の袋を降ろす指揮をはじめた。石炭と土が混じるのは好ましくないので、石炭場の外へ捨てに行くのである。そこまでが、船の人間の仕事だった。

しかし、土の袋は捨てない。土ということになっているが、実は塩の袋だった。

石炭を積んで泗州へ帰ると、また土の袋を積むという作業をやらなければならない。その時に、闇《やみ》の塩を積みこむのである。誰もがいやがる石炭を帰りの荷に選んでいるのは、それがあるからだった。

船には、船頭のほかに、八人の櫓手が乗っている。三艘の船から三百石の塩があがるが、それを二台の太平車《たいへいしゃ》に積みこむ。曳《ひ》くのは、牛二頭である。石炭場を出たところで、待っている別の太平車と交換して、仕事は終りだった。

袋を太平車に積みこんでいる時から、阮小五は背中に見られているような気配を感じていた。いつもは、感じたことのない気配だった。

この闇の塩の道を作って、二年になる。まだ、役人に疑われてはいないはずだ。いやな感じが、背中で続いていた。それは、太平車を空のものと交換しても、消えなかった。

「十日後に、ここに集まれ。その時は、酒は抜いておけよ」

船頭や櫓手たちに、阮小五はいつもと同じことを言った。速い流れを、重い荷を積んで下るのは、実は危険だった。容易に、船は停《と》まらない。時には梶《かじ》も利《き》かなくなる。十日の休みが、櫓手たちにその危険をいとわせない。開封府へ行けば、飲食はもとより、いい女にも不自由はしないのだ。石炭ではなく、楽な荷を積めば、休めるのは二日だった。

阮小五は、石炭が船に積まれはじめるのを見届けると、ひとりで近くの茶店へ行った。羊の肉はない。豚と牛の肉があるだけだが、阮小五にはそれで充分だった。

大男が、茶店に入ってきた。それも、坊主である。空いている卓はほかにあるのに、阮小五の前に腰を降ろした。給仕に註文《ちゆうもん》したのは、酒だけだった。

「俺は流れ者の坊主で、魯智深《ろちしん》という」

坊主が、勝手に喋《しやべ》りはじめた。

「泗州の船を扱っているのだな。しかも、帰りは石炭だ」

「それが、どうした？」

阮小五は、蒸した豚肉に食らいついた。

「ただの塩賊とは思えないのだが」

「なんだと？」

「船を安定させるための土の袋が、塩とはな。役人も気づくまい」

阮小五は、懐《ふところ》の短刀に手をやった。水中での争闘では、短い刀の方が有利だ。しかし、水中ではなかった。大男の坊主に、斬《き》りつける隙《すき》も見えない。

「待て。俺はただ、この国の塩に関心があるだけだ。特に、闇の塩にな」

立ちあがろうとした阮小五を、坊主は大きな掌《てのひら》を出して制した。

「俺を政府の密偵だ、などと思うなよ。もしそうなら、もっとましな近づき方をしている」

阮小五は、じっと坊主の眼を見つめた。異相だが、眼に邪悪な光はなかった。阮小五は、一度軽く息を吐いた。

「消えろよ、坊主」

「魯智深という名がある。花和尚《かおしよう》とも呼ばれているが。俺の話、聞いてくれんか？」

「俺は確かに、泗州から開封府まで塩を運んでくる。帰りは、みんなが嫌がる石炭だ。それだけ銭が貰えるのでな」

「俺の親父《おやじ》は、密州《みつしゆう》の塩職人だった。役人が横流しをした塩の罪を被《き》せられて、首を刎《は》ねられた」

「よくあることだ。めずらしくもない」

「罪もない人間が、首を刎ねられる。それがめずらしくもないというこの世を、俺は糺《ただ》したい。豊かであるはずのこの国の民が、なぜ税に苦しむ。なぜ、盗賊が横行する。俺は、それを糺したい」

笑って済ますことができないような、切実な響きがあった。阮小五は、じっと魯智深と名乗る坊主を見つめた。

「ひとりでなにができる、と嗤《わら》うだろう。しかし、なんであろうと最初はひとりなのだ。俺は、そう思う。愚直と言われれば、そうだろう。しかし俺は、これと思った人間には、必ず自分の言葉で語るようにしている」

「わかったよ、花和尚。ただ、俺はこんな話は苦手でな」

「そうは見えん。船着場に入ってくる船の、舳先に立っているおまえを見た。塩、いや土の袋を降ろす指揮をしているおまえも見た。俺の話がわかる男だ、と思った。それだけのことで、俺はおまえに声をかけた」

「肉でも食うかね」

「ありがたく、いただこう。うまいものを食らっている時、人の心は平和だからな」

「旅を続けているのか？」

喋らない方がいい相手かもしれない、と思いながら阮小五は口から言葉を出していた。

「流れ坊主よ。ただ、開封府にはもう入れん。いろいろ事情があってな。それが、かえってよかった。開封府を外から見ていたら、いままで見えないものが見えてきた。闇の塩の道もな」

「俺は別に、羊の肉でなくてもいい。牛でも豚でも馬でも。子供のころは、魚ばかり食わされていた。漁師の家でな。兄貴や弟は、いまも梁山湖《りょうざんこ》で魚を獲《と》っている。俺は、ちょっとばかり兄弟とは違うことをしてみたくなっただけだ」

「船の扱いは、見事だと思えた。舳先に立って、櫓手に声をかけるだけで、なにもなかったように船着場に着いた。あれだけを見ていたら、船の扱いはたやすいと思いそうだが、あとの二艘は苦労していた」

阮小五は、豚の腿《もも》の部分に食らいついた。脂のところが、特に好きなのだ。口の中にじわりと拡がってくる脂は、魚にはないものだった。

「石炭を積んで、運河を下るのは難しいことなのか？」

「船が、これ以上はないというほど、重たくなる。そんなものが流れに乗ったら、停められないし操れない」

「で、どうするのだ？」

「急流に乗った時は、度胸を決める。流れを避けるのではなく、逆に流れからそれないようにしてやるのさ。はじめは、速さに腰を抜かすが、それも馴《な》れだ」

この男には、人の心を開かせるようなところがある、と阮小五は思った。ただ、いつまでも喋っていようという気もなかった。土の袋の中身が実は塩だと、この男は気づいてもいる。ほんとうなら、殺しておくべき相手だろう。

「意味はないぞ」

「なにが？」

「俺を殺すことがだ」

阮小五は、苦笑した。すでに、塩はここにはない。船には、石炭が積まれはじめているだけだ。

「読んでみないか、おまえ」

魯智深が、懐からなにか取り出した。

「旅の間、暇があると俺はこれを書き写し、これはと思った人間に渡している。版木で刷ればいいようなものだが、書き写すたびに、なにか新しいことを見つけるのだ」

阮小五は、差し出されたものに思わず手をのばした。見憶《みおぼ》えがある。鄆城《うんじょう》で、一度これを読んだ。国があり、民がいて、民のひとりとして自分がいる。そこから、書かれていた。十一歳の時に、自分は民としてこの国になにをしたか。十二歳の時に、なにを考えたか。十三歳の時に、なにを嘆いたか。年齢を追って、民と国のありようについての考えが書かれているが、自分が国に対してなにひとつしていないという自責が、十六歳のころからはじまる。それは次第に激しさを増し、やがて痛切なものになっていく。

心がふるえるのである。

人が、これほどに自らを恥じ、国というものについて考えられるのかと思うと、自分が小さなものに見えて仕方がなくなるのだ。

書かれていることはそれだけで、だからどうしろということは言っていない。しかし、考える。自分になにができるのか、真剣に思い悩む。ほんとうに生きているのかと、自分に問いかける。

読み終えたあとの、あの時の感覚を、阮小五はいまでもはっきり思い出すことができた。

それはそれでいい。実際に闘うということは、また別のことだ。力を持った者と、言葉だけでは闘えない。

「いらんな、こんなもの」

「なぜ？」

「字を読むのが、好きではない」

「そんなふうには見えないが、いらぬなら仕方がない。名だけ、聞かせてくれるか？」

「阮小五。よく無茶をやるんで、短命二郎《たんめいじろう》とも呼ばれている」

低い声で、魯智深が笑った。

「いつかまた、会いそうな気がする。俺にはわかるのだ。今度会った時は、俺が肉を奢《おご》ろう」

「そりゃいいな。残っている肉は、包ませる。持っていけよ」

阮小五は、給仕を呼んだ。

この男と、あまり長く喋っていたくはなかった。なにか、危険な匂いがする。もっとこの男のことを知りたい、と思いはじめるような気もする。

「また会おう、阮小五」

給仕が竹の皮に包んできた肉を摑《つか》み、魯智深は腰をあげた。

阮小五は、まだしばらく酒を飲んでいた。

殺しておくべきだった。しかし、どうしても、殺そうという気は起きなかった。

ようやく作りあげた、汴河の塩の道。魯智深は、それをあっさりと見抜いた。魯智深が役人に訴えることはない、と阮小五はほとんど確信していた。

しかし、ほかにも見抜く人間はいないのか。それが、突然心配になってきた。ようやく作りあげた、塩の道なのだ。

二

開封府という街にはどうしても馴染《なじ》めないが、阮小五は地理にだけは詳しくなっていた。

内城の中の、旅館が並んだ通りへ行き、教えられていたところに、宿を取った。商人の多い旅館街だが、毎回泊る宿は違っている。顔を憶えられないためにそうするのだろう、と阮小五は思っていた。

燕青《えんせい》が部屋に顔を出したのは、夕刻だった。

この色白の美男を、阮小五はあまり好きではなかった。美男すぎるくせに、腕は立つのだ。いつも盧俊義《ろしゅんぎ》のそばにいるのも、気に食わない。

盧俊義には、妻がいる。北京大名府《ほっけいたいめいふ》郊外の小さな家にいて、下女と二人で暮している。

夫婦仲はよくないのだ。妻の代りに、燕青がいるようなものだった。

「相国寺《しょうこくじ》の方は、うまく運んでおります。私はひと足先に戻ってきたのですが、相変らず阮小五殿は妓楼《ぎろう》などには行かれないのですね」

「遊びに来たわけではない、俺は。ほんとうは、十日も休みなどいらないのだが」

「鄆城へ戻られるということもできますよ。船を使えば、往復でも六日でしょう」

そんなことは、言われなくてもわかっていた。必要があれば、無論鄆城へ戻る。兄や弟とも、会いたい気分がないわけではない。

「相国寺の方で、十石は捌《さば》けるようになったという話だが、ほんとうか？」

「今度は、捌けると思います。というより、ようやく出店の権利を得ましたので、うまくすればもっとそこで売れます」

相国寺では、月に数度市が立つ。大規模な市で、そこで手に入らないものは、まずなかった。闇の塩も、手に入る。

「塩屋というわけにはいきませんので、旦那《だんな》様は焼物を売るつもりです」

そんな話をしている間に、盧俊義が戻ってきた。燕青が、甲斐甲斐《かいがい》しく世話を焼く。

盧俊義はなされるままで、阮小五が見ていても平然としていた。

「ほぼできあがったな、汴河の道も」

燕青に脚を揉《も》ませながら、盧俊義が言った。

「石炭を積んで泗州に戻るのは骨であろうが、もうしばらくはおまえがいなければ、安心できん。そのうち、河水の道のようにするつもりだが」

河水にも、闇の塩の道があった。それはいま、船頭や櫓手だけで動いている。どういう仕組みになっているのかは、阮小五も知らなかった。

盧俊義は、塩の道を三つ作った。私腹を肥やすためではない。力のある者と闘うためには、こちらにも力が必要なのだ。相手は、政府であり、帝《みかど》でもあった。

塩には、入れる道と捌く道の二つが必要だった。塩の大部分は開封府に集められるので、闇の塩も開封府を基点にするのが最善だと思えた。塩がどれほど大量に流れても、開封府からなら不自然ではないのだ。

複雑な動きの仕組みをすべて知っているのは、盧俊義だけだろう。何人の人間が携わっているかも、阮小五は知らない。

「汴河の道が、一番太くなっているのだ、阮小五。これは、泗州の方が塩を集めやすいからだ」

開封府に入ってきたものを扱うだけではなく、塩を手に入れるところから、盧俊義は深く関《かかわ》っていた。製塩所の警備は厳しいが、盗んだり奪ったりする。密造の塩の買付けもやる。そのために動いているのが、青州清風山《せいしゅうせいふうざん》の連中だった。盗賊と見られているが、ほんとうの目的は塩だけなのだ。

塩は、この国では権力そのものだった。力をつけるという以上に、特別な意味がある。

「清風山に集めた塩を、泗州まで運ぶのが大変だ、と燕順《えんじゅん》は言っていましたが」

「それも、燕順たちと方法を考える」

清風山には、燕順と弟分の王英《おうえい》、鄭天寿《ていてんじゅ》が、百人ほどの手下とともに籠《こも》っていた。派手に動く時は盗賊で、塩を手に入れる時はひそかに動く。阮小五が考えている以外にも、手に入れる方法はあるのかもしれない。

いずれにしても、泗州へ戻り石炭を降ろすと、そこで燕順たちには会うことになる。石炭を降ろしたらすぐに、船を安定させるための土の袋を積みこみ、それから決められた場所で、決められた量の塩を積むのだ。

「私はこれから鄆城へ行くが、晁蓋《ちょうがい》になにか伝えることはないか？」

「気になることが、ひとつあります。二年前、晁蓋殿のところで、国について書いた本のようなものを読みました。きのう、それと同じものを、俺にくれようとした坊主がいました」

「ほう、あれをか」

題名などはなく、ただ紙を綴《と》じただけのものだった。そのかたちも、晁蓋のところで読んだものと同じだ。

「魯智深と名乗る、ばかでかい坊主でした」

「あの男か。ならば、敵と思わなくてもいい。まだお互いにほんとうに知り合ってはいないが、いずれ同志になる者だと考えてくれ」

「盧俊義殿は、知っているのですか？」

「去年、この開封府で私に接触してきた。塩のことを気にしていたようなので、私も調べてみたのだ」

「汴河の塩の道は、魯智深には見破られています」

「そうであっても、不思議はないな。塩に対しては、格別の思い入れがあるようだ」

「ならばよいのです。殺すべきかどうか、迷ってしまいました」

「それでも、殺そうという気は起きなかった。そうであろう、阮小五。あの魯智深という男を通じて、人の繫《つな》がりが拡がっていく。私はそう見ている」

「また会うことになる。そう言っていました。俺も、そんな気がしましてね」

「鄆城の役人で、宋江《そうこう》という者がいる、という話はしたな、阮小五。魯智深は、宋江に非常に近い男だ」

「事情があって、開封府には入れぬ、と言っておりました」

「その事情までは、私はよく知らぬ。魯智深に塩の道を見られたからといって、心配する必要はない、ということだけは言える」

「わかりました」

燕青は、無言で盧俊義の脚を揉み続けていた。盧俊義がちょっと腕をあげた。燕青の手が、その腕に伸びて、揉みはじめた。なにかなまなましすぎるものを見た気分になって、阮小五はそれから眼をそらした。

「魯智深が配っているものは、宋江が若いころに書いたものだ、と言われている。私は一冊持っているが、自分を責め続けるところが、心を揺り動かすな」

「盧俊義殿は、その宋江と会われたことがあるのですか？」

「まだない。実はこれから鄆城へ行くのは、宋江と会うためなのだ。晁蓋から、その名だけは聞いていたが、会う時期だと判断したようだな」

「俺の兄や弟も、会ってはいないのでしょうね？」

「まだ、誰も会っていない。政府と闘おうという集団が二つあって、両方とも鄆城の地からはじめている。なにかの縁だろう、と私は思っているよ」

少しずつ、動きが出ている。阮小五には、そう思えた。そうでなければ、汴河の塩の道も生きない。

兄の阮小二《げんしようじ》、弟の阮小七《げんしようしち》は、梁山湖で漁師を続けている。その理由のひとつは、晁蓋のそばにいたいからだ。自分だけが、晁蓋以外のことを考えた。晁蓋の夢を生かすためにも、もっと大きな働きをしなければならないと思ったのだ。それを見抜いたように、晁蓋は自分に盧俊義を引き合わせた。その時、盧俊義は塩の話をしたのだった。

晁蓋は好きだが、晁蓋の夢のために自分は生きているのではない、と阮小五は思っていた。言ってみれば、晁蓋と同じ夢を持った。そういうことだ。男がともに生きるとは、そういうことではないか、と阮小五は思っている。

「俺は泗州へ帰りますが、なにかやっておくことがありますか？」

「しばらく、密州から莱州《らいしゅう》にかけて、警備の手薄な製塩所を、荒らしてくれぬか」

「なるほど。清風山に軍の眼がむきましたか」

「打てば響くな、まったくおまえは。清風山が製塩所を荒らしているのではないらしい、と思いこませればいいのだ。なにがなんでも塩を奪う必要はない。また、奪った塩は、いささか惜しいが、捨てろ。海へ帰してやればいい」

清風山の燕順は、塩とまったく関係ないところで、暴れるのだろう。政府であれ軍であれ、とにかく塩が第一なのだ。

清風山で集めた塩は、まるで別のところに隠してあるという。盧俊義のことだ。軍の兵糧《ひょうろう》庫の隣にでも、置いているのかもしれない。発想は、いつも大胆な男だった。その大胆さが、いままでになかった塩の道を可能にした。

塩を集めるのはあくまでも燕順の役割で、阮小五はそれを運ぶ。たとえ阮小五が塩を手に入れたとしても、海に捨てさせる。役割を決して変えようとしないのも、盧俊義のやり方だった。

ようやく、盧俊義は燕青に腕を揉むのをやめさせた。燕青は、もの足りないという表情をしている。

「一艘の船の横腹に穴を開け、二艘で曳いていくことにします。つまり流れに押され、岩にぶつかったわけで。その船の修理に十五日もかければ、俺が動き回る余裕は充分にあります」

「そういうところは、おまえに任せていていいだろう。私が考えるより、ずっとうまくやるはずだ。少しずつ、事態は動く。そういう時期が来たのだ、と私は思う」

晁蓋が、頭目だった。州の兵を追い散らしたり、盗賊を働いたりするところからはじめた。盗賊と言っても、民や旅人から奪うわけではない。州の役所が集め、開封府に運ばれる税などを襲ったのだ。

銭のために晁蓋がそれをやっているのではないことは、自身が豊かな保正《ほせい》（名主）であることからもわかった。晁蓋は、乱れたものを、さらに乱そうとしたのだ。乱れきったところから、なにか別のものが立ちあがる。晁蓋はそう考えているようだった。奪ったものを、分配もしない。そうすると、ほんとうの盗賊になるからだ。分配を求める者を、晁蓋は許しもしなかった。

志、と晁蓋はよく言った。志のない者は去れ。その志は、この乱れた世を一度叩《たた》き潰《つぶ》して、新しい国を作りあげるということだった。志とは夢のことなのだ、と阮小五は思った。そういう夢を、阮小五も抱いていたからだ。兄にも弟にも、その夢はないだろう。晁蓋が好きでたまらないだけだ。だから、晁蓋の志が、自分の志だと思いこんでいる。

三人の兄弟の中で、次男の阮小五だけが、河水の漁師であった伯父のもとに行かされた。十四歳の時だった。湖ではなく流れのある河で、阮小五は船の扱いを覚えたのだ。

豪放な伯父だった。魚の仲買をする者を通そうとせず、貧しい村に魚を売った。それでいつも仲買人と揉めていたが、気にした様子もなかった。いきなり役人に引っ立てられた時は、なにがどうなっているのか阮小五にはわからなかった。十日後に、博州《はくしゅう》の牢《ろう》で伯父は打ち殺された。直接魚を売れば、あんな目に遭う、と仲買人が漁師を脅しているのを聞いたのは、そのすぐ後だった。その仲買人が伯父を引っ立てた役人と親しいというのは、すぐにわかった。

仲買人を船の上に連れこみ、舳先に縄でぶらさげて、すべてを吐かせた。仲買人は、銭を払って役人に伯父を殺させたのだ。阮小五は、その仲買人を水に沈めて殺した。誤って河に落ちたのだろう、と誰もが思った。阮小五は十七歳だった。兄弟のもとに戻り、梁山湖で漁師を続けた。そして、晁蓋という男に会ったのだ。

「おまえはいずれ、塩の道からははずす」

「なぜです？」

「晁蓋が、おまえを自分の下に置きたがっている。水の上でなにかやることも、考えているのかもしれん」

晁蓋に呼ばれるのなら、異存はなかった。汴河の塩の道は、すでにできあがっている。いまいる船頭だけでも、充分に働けるはずだ。

この国を、壊したいと思った。役人の首を、すべて斬り落としたいとも思った。壊すだけでなく、壊したあとに新しいものを作りあげる。そうしようとすることで、壊すという行為がはじめて許されるのだ、と教えてくれたのが晁蓋だった。

「明日、私は鄆城へむかう」

「言われたことは、全部片付けておきます、盧俊義殿」

燕青が、酒を運んできた。

盧俊義が、旅館で酒を飲むのはめずらしいことだった。

三

途中から船に乗り、五丈河《ごじょうが》を下った。定陶《ていとう》まで、灯油を運ぶ船だった。

魯智深は、船があまり好きではない。特に、河の船は苦手だった。酔うのである。

しかし、開封府から鄆城への旅には、よく船を使った。流れに乗った船は、揺れるが驚くほど速い。それに行き交う船を見ていると、物資の動きもわかる。

定陶からは、二日かけて鄆城のそばまで歩いた。街には入らなかった。宋江との約束の場所は、梁山湖から五里（約二・五キロ）ほど離れた山上だった。

そこへ行く前に、魯智深は梁山湖の湖畔を歩いた。時々、漁師のものらしい家がある。それ以外は、葦《あし》などが水際を隠していた。

梁山湖は広く、密州の海にも似ていた。ただ、海ほどの波はない。水の拡がりが、魯智深の心の中の、苦いものが入り混じった懐かしさを呼び醒《さま》す。故郷は、密州だった。それから出家させられたあと、各地を放浪したが、二つ目の故郷は宋江と出会ったこの地だ。

水面に張り出した丘の上に、小さな家があった。質素だが、貧しい暮しむきではない、と魯智深は思った。

宿を請うた。約束の日時は、明日の正午だからである。老婆と下女だけの家のようだった。魯智深の大きな躰《からだ》を見て、下女は口を押さえて驚いたが、老婆は穏やかに笑って請《しょう》じ入れてくれた。

「私にも、三人息子がおりましてな。その三人が三人とも、手のつけられない暴れ者でございました。いまは、いささか大人しくなったようでございますが」

「私は、鄆城の寺で若いころ修行をしました。このあたりまで来ることは滅多にありませんでしたが、梁山湖は昔と少しも変っていない」

「そうですか。お坊様は、鄆城で修行をなされましたか」

「それから諸国放浪をしたのですが、なかなか俗気を捨てきれません」

「それはまだ、お坊様が死ぬ時を迎えておられないからですよ」

老婆は、相変らず穏やかに微笑《ほほえ》んでいる。

すでに夕刻で、食事の仕度をすると下女は帰っていった。通いでここへ来ているらしい。

「私は、少し食べれば、それでよいのです。息子がいて、下女にたくさん作るように命じるのです。いつも捨てておりましたが、今夜は無駄にならずに済みます」

魚を煮たものと、野菜が並んでいるが、老婆は実際、ほんのわずかを口に入れただけだった。意地汚いと思いながら、魯智深は残ったもののすべてを腹に入れた。

「御子息殿は、戻られないのですか？」

「この先、二里ほどのところに、小屋を建てて住んでいます。葦の中に竹で組んだ橋をかけ、水の上に小屋を作っているのですよ。私には咳《せき》の病《やまい》があり、とても湿ったところでは暮せないのです」

「漁師をしておられますか」

「はい。上と下の息子は。真中の息子は、旅に出ておりますが」

「なるほど。三人の御子息の働きで、暮しむきがよろしいのですな」

「この歳になると、そんなものを求めはしないのですが。通ってくる下女と喋るのが、日々の慰めでございます」

「それもいい暮しだ、と私は思いますが」

「貧しくても静かな暮しを望んでおりましたが、数年前、主人を亡くしてからは、息子たちはただ暴れ回るだけで。確かに、漁をして、私の暮しを支えてくれてはおりますが、息子たちの食事を作って待つような生活を、私はしたかったのです」

老婆の笑みの中に、かすかな諦《あきら》めの色があることに、魯智深は気づいた。それは老人に似つかわしく、悪いものではなかった。

「咳の病と言われておりましたな」

「一年ほど前に、咳とともに血が出ているのを息子に気づかれまして、ここへ移り住むことになったのです。確かに、水の上の暮しはつろうございましたが、できることなら、そこで命を終りたかったものです」

「命の終り方は、望んで望めるものではありませんぞ、御母堂。思いとはまったく別のものが、終り方を決めてくれます。その命をどう生きたかを誰かが見ているのだろう、と私には思えてならないのです」

「これは、お坊様にありがたいお話をいただきました」

老婆は、相変らず穏やかに微笑み続けている。

部屋には、炭が入っていて暖かかった。丘の上なので、湿気はまったく感じない。老婆が咳をし、布で口を押さえた。

理不尽な、命の終り方もある。いや、この世の死のほとんどは、理不尽と言ってもい い。自分の、父や母もそうだった。

老婆の咳はひとしきり続き、その間だけ、皺《しわ》の刻まれた顔は紅潮していた。

翌朝、外の声で眼を醒した。客人が起きてしまう、と老婆がたしなめている。

魯智深が出ていくと、小柄な青年が立っていた。どこかで会ったことがあるような気がしたが、よくわからない。

「いやあ、お客人。俺はお袋に、毎朝、鯉《こい》の血を届けている。獲ったばかりの鯉の血だ。お袋は飲むのをいやがるんだが」

「いやがっているわけではない。この母が飲めぬほどのものを持ってきても、無駄になるだけだと申しているのです、小七」

名を聞いて、なんとなくひとつの顔が思い浮かんできた。面差《おもざ》しが、確かによく似ている。

「阮小五というのは？」

「おう、下の兄貴を知っているのか。漁師をいやがって旅に出ている。時々、お袋に銭などを届けるが、まともに生きているのかい？」

「ああ。汴河で石炭を運ぶ船を動かしている。あそこで石炭を運ぶのは、腕のいい船頭なのだ」

「ふうん、船か」

「お坊様は、小五とお会いになられたのでございますか？」

「ほんの、数日前でした。開封府の郊外で。肉を奢られましたな」

「元気でいることはわかっておりましたが、世に顔向けのできぬことは、しておりませんでしょうか？」

「それはもう。開封府から泗州へ石炭を運ぶのが仕事ですから。梁山湖で漁をしていて、もっと大きな船に乗ってみたくなった、とも言っておられた」

「そうでございますか。長男の小二は当たり前に育ったのですが、三男の小七はこの通りで、梁山湖の山寨《さんさい》の盗賊に加わりたいと言い出す始末で。小五を、多感な時期に手放していたことがございまして」

「阮小五殿の仕事は、危険ではありますが、立派なものです。人の役に立っております」

「なんだよ。役人のために仕事をして、なんになるというんだよ。俺なら、その船を、役人や商人から奪ったもので一杯にしてやるところさ」

「これ、小七」

「お袋も、よく憶えておいてくれ。小五兄貴は別として、小二兄貴も俺も、役人のためなんかにゃ生きられねえ。だけど、お袋のためになら生きられる。それから、あの人のためにもだ」

叫ぶように言い、阮小七は駈け去っていった。

「お恥ずかしいことです。活閻羅《かつえんら》などというあだ名で呼ばれて、暴れ回るのが好きで、いつかお役人とも争いになるかもしれないと、私は生きた心地もいたしません」

「いや、阮小七殿は、しっかりしたことを言われた。役人のためには生きられないが、御母堂のためなら生きられると。これは、人として立派なことではありませんか」

「そうでございましょうか、お坊様。三人兄弟の中で一番の暴れ者ですが、私には一番やさしい息子でもあるのです」

阮小七が持ってきた小さな壺《つぼ》の中には、鯉の生き血らしいものがなみなみと入っていた。まだ暗いうちに十数尾も鯉を獲り、血を搾《しぼ》って持ってきたのだろう。

「私ひとりでは飲みきれませんが、お坊様に生き血を勧めるのも」

「御子息の孝行の証《あかし》です。飲めるだけ飲んだら、あとは湖に返してやるのですな」

「そうですか。返すと考えればよいのですね」

老婆は、大事そうに壺を持ちあげた。

あの人のためにも生きられる、と阮小七が言ったことを、魯智深は思い出していた。女のことだとは、なぜか思えなかった。しかし、母と同じほどに聖なるもの。そういう響きが、阮小七の口調にはあったのだ。

下女がやってきて、朝食の仕度をはじめた。質素な朝食だが、悪くはなかった。粥《かゆ》のほかは野菜で、盛りだくさんの魚が並ぶのは、夕食だけらしい。

礼の銭を包み、老婆に渡した。老婆は固辞したが、押しつけると、中身も見ずに下女に与えていた。

晴れた日だった。

山道にかかるころには、湖の方からかすかな風が吹いてきた。湖まで四里というところか。山というより、丘といった方がいいかもしれない。頂上には、無人の東屋《あずまや》があった。卓代りの石が真中にある。

そこからは、梁山湖も鄆城の街もよく見えた。梁山湖では、何艘かの船が漁をしている。あの中に、阮兄弟の船もいるのだろう、と魯智深は思った。

陽は中天にかかろうとしている。約束の刻限は近かった。

馬蹄《ばてい》の音が響いてきた。二騎である。

前を走ってきた一騎を見た時、魯智深はなにかに打たれたように、立ち竦《すく》んだ。確かに気は漲《みなぎ》っている。しかし、打ったのはそれではなかった。会いたいと思っていたものに、ほんとうに会ってしまった。言葉で言えば、そうなるかもしれない。いるはずのない男がいた。そういう感じでもある。

「おう、花和尚魯智深殿だな。宋江から、話は聞いている」

馬を降りた男が、にこりと笑って言った。

「東渓村《とうけいそん》の晁蓋という者だ」

これこそ英雄だ、と魯智深は思った。理由はない。大きな躰ではなく、表情も穏やかそうに見える。自分が英雄と呼ぶ人間が、この世にいるのだろうか、と魯智深は以前に考えたことがある。しかし、いるのだ。いま、それがよくわかった。名乗るのも忘れ、魯智深は立ち尽していた。

二騎目が、ようやく追いついてきた。

「これなるは、滄州《そうしゅう》から旅をしてきた私の友人で、柴進《さいしん》という」

柴進は、馬を降りると、額に噴き出した汗を袖《そで》で拭《ぬぐ》った。二人とも、三十半ばというところだろうか。

「魯智深です」

「いい日だ」

空を見あげ、晁蓋が言った。その言い方にも、なぜか魯智深は感動していた。

もう一騎、坂を登ってきた。盧俊義が、窮屈そうな恰好《かっこう》で乗っている。

小径《こみち》の方から、宋江がひとりで歩いてくるのが見えた。ひどく汗をかいているようで、浅黒い肌が、陽の光を照り返している。

「揃《そろ》ったな、これで」

晁蓋は、東屋の卓のところに腰を降ろした。

「宋江は、馬嫌いだからな」

「馬はそこそこ乗りこなしますが」

晁蓋にむかって、自然な口調で魯智深は喋っていた。それが不思議でもあった。

馬を降りた盧俊義も、東屋にむかって歩いてきて、魯智深と眼を合わせると、嬉《うれ》しそうな笑みを浮かべた。

「私が、宋江です」

かすかに息を弾ませながら、宋江が言った。晁蓋が、笑い声をあげる。盧俊義と柴進が名乗った。

「同志が参会した。今日は、それだけでいい」

晁蓋が言った。

「志については、いやというほど宋江と話し合った。お互いの同志が、なにをやっているかも含めてだ」

「どこかで、力を合わせる機会も出てくるだろう。晁蓋と私は年来の友だが、二人で語り合ってばかりいるのも意味がない、ということになった。晁蓋という同志がいる。宋江という同志もいる。それを、お互いに心を許し合った者たちには伝えよう」

宋江の声は、かつてないほど落ち着いていて、石の卓にしみこんでいくようだった。

柴進が、滄州の大地主である自分のことを語った。地主ではあるが、小作が多いのはいいことではない、と考えているようだった。

盧俊義は、塩の道のことを語った。

晁蓋は、梁山湖にある山寨を拠《よ》って立つ場所に欲しいのだ、ということを語った。

宋江は、役人の腐敗について語った。

そして魯智深は、自分のことだけを、語った。

それだけだった。

「また、会おう」

別れ際に、晁蓋はそう言った。

四

黒ずくめの恰好をした。

阮小五は、顔も黒い布で覆い、眼だけ出していた。馬も乗りこなせる船頭や櫓手が十名。櫓手や泗州に残っていた仲間が二十六名。合わせて三十六名の塩賊だった。清風山の近くには、青州軍が展開していて、とても近寄れるものではなかった。清風山の山寨でも、防備をかためているようだ。つまり清風山の賊徒は、山上に釘付《くぎづ》けという恰好である。塩賊の中核が清風山である、と青州軍が考えている証だった。ただの盗賊では、これほどの軍兵の出動はない。

阮小五は、密州まで進み、手当たり次第に製塩所を襲いはじめた。貯蔵庫から大量の塩を奪っても、それを運んで行く必要はない。海に捨てれば、塩は消えるのである。だから、迅速な動きができた。

密州の軍の中核も、清風山を攻めるために駆り出され、製塩所はどこも手薄だった。

製塩所を十二、塩にして七千石（約四十九トン）ほどを奪い、海に捨てた。それを、二日でやってしまったのだ。密州が同時的に塩賊に襲われ、大量の塩が奪われた、と役人たちには見えただろう。塩を捨てなければ、わずかしか奪えていない。しかし、奪った塩を捨てたとは、誰も考えはしない。

清風山にむかって展開していた軍が、慌てて密州に入ってきたのは、四日後だった。北京大名府からも、軍が急派されるという噂《うわさ》だった。

そのころ、仲間は全部泗州に帰し、阮小五はひとりで清風山のそばにいた。

塩賊が清風山にいると決めてかかり、大軍を動員した役人が誰かはわからない。いずれにせよ開封府の許可を受けているだろうから、相当厳しい処分があるに違いなかった。なにしろ、七千石の塩である。

みんなが黒い身なりをしていたので、黒賊とも呼ばれはじめていた。清風山の盗賊など、相手にするものはいなくなっている。

五日目に、阮小五は清風山に登った。

燕順と王英と鄭天寿は、兗州《えんしゅう》の地図を囲んで、なにか話し合っていた。

「まったく、盧俊義も勿体《もったい》ないことを考えるものだ。七千石の塩を海に捨てるとは」

阮小五の顔を見ると燕順が言った。錦毛虎《きんもうこ》と名乗り、もともと盗賊だが、いつか盧俊義の塩の道に関るようになった。

盗賊をやりたくてやっている者は少ないのだ、と阮小五は思っている。なにかを奪うにしても、目的と意味を与えられれば、そちらに傾く。清風山の頭目三人は、もう盗賊とは言えなかった。自分たちにはなんの得にもならない、塩の道の入口のところも担い続けているからだ。

「いずれ、盧俊義殿が、自ら清風山に来るそうだ、燕順殿」

「そんな必要はない。なぜ七千石もの塩を海に捨てたかも、わかっている。おまえが密州であれをやってくれなかったら、清風山はかなり厳しいことになっただろう」

「七千石の説明だけでなく、塩の道をもっと複雑でわかりにくいものにしたい、という考えを盧俊義殿は持っているようだ。その方策を、三人と話し合いたいということだろう。とにかく俺の仕事は終りで、清風山も静かになったようだから、三人の顔を見ようと思ったのだ」

「黒賊とはな。白い塩を、黒い賊が奪うか。それにしても、七千石だ」

王英が言った。短軀《たんく》で、脚が短いのが目立つので、矮脚虎《わいきゃっこ》と呼ばれている。鄭天寿は逆に長身のやさ男で、白面郎君《はくめんろうくん》と人は言う。阮小五は、盗賊になりきれなかったこの三人が、嫌いではなかった。

「七千石の塩を集めるのが、どれほどの苦労か、わかっているのか、短命二郎よ」

「それはな、鄭天寿。おまえらの苦労を思うと、塩辛い涙が出てきた」

三人のうち、燕順だけが十歳ほど年長である。燕順を補佐するかたちで、若い二人がうまく動いていた。

燕順が、声をあげて酒を運ばせた。この山寨にいるのは百名余で、青州軍はそれを潰すために、他州の軍にまで応援を頼み、実に三千の規模で山裾《やますそ》に展開していた。なにがなんでも塩賊を討てという、開封府からの強い命令があったのだろう。しかし、塩賊は別にいた。清風山に兵力を集中させた隙に、七千石に及ぶ塩を奪われたのだ。いまごろ、開封府でも大騒ぎになっているだろう。

「ところで、兗州の地図を拡げているが、これはなんのためだ、燕順殿？」

「おまえが、塩賊が別にいることを、やつらに教えた。ここで兗州の兵糧庫などを襲っておくと、清風山の一党はただの盗賊ということが、さらにはっきりする」

「なるほど。俺も加わりたいものだ」

「そんなことより、阮小五。おまえ、また船で開封府にむかわなくてもよいのか?」

「いいのだ、鄭天寿。まだ十日以上の余裕がある。開封府から石炭を運ぶ途中で、船がやられた。岩にぶつかって、三艘のうちの一艘が沈むところであった。いま、泗州で修理しているところなのだ」

「悪知恵を働かせたな。おまけに七千石の塩が消えたとなると、開封府へ運ぶものも不足してくるであろうしな」

「どうだ、俺も加えぬか。役人や軍は密州に集結中で、兗州は留守の家のようなものなのだろう?」

「こちらで探ったところによると、牧場《まきば》に馬がいる。百頭ほどで、まだ調教が終っていないようだ。それを奪い、ついでに兵糧庫のひとつでも襲ってみようと思っている」

燕順は、運ばれてきた酒を、阮小五に勧めた。豚肉なども運ばれてくる。清風山は、食いものには不自由していないようだ。

「いつやるのだ、燕順殿?」

「明日出発し、襲うのは二日後。俺と王英が五十騎を指揮する。鄭天寿は、俺たちが奪った馬をここへ運ぶために、二十人を率いる。ここにも、三十は残しておかなければならんからな」

「俺も連れて行ってくれ。うまく馬を奪って鄭天寿に渡したところで、別れる。泗州でもやらなければならんことがある」

「一緒に来いよ。水の上だけでなく、たまにゃ草原を駈け回るのもいいもんだ」

酒盛りになった。

やはり、三千の大軍を前にして、緊張はしていたのだろう。三人とも、ほっとした表情を浮かべて、酒の椀を口に運んでいた。

「どうしているかな、あの人は」

ふと思い出したように、鄭天寿が言った。

晁蓋のことである。人に慕われるなにかを、晁蓋という男は持っている。魅《ひ》きつけられるのを避けようとしても、気づくと魅入られているのだ。

晁蓋が、このあたりの旅をしたのは、いつごろのことだろうか。四、五人の荒くれを連れていたという。どんなふうにして、晁蓋とこの三人が会ったのか、聞いたことはない。話せば別だが、こちらから聞こうとも思わなかった。多分、三人ともそれが大事な思い出だろうからだ。盧俊義が現われたのは、その後だという。すでに盧俊義は、小さな塩の道を作りつつあったらしい。

阮小五は、済州《せいしゅう》東渓村の保正である晁蓋しか知らない。名士でありながら、時には仲間を語らって盗賊を働き、奪ったものはその地の民に配ってしまう男。盗賊を働く時は、晁蓋はいつも面をつけていた。そして必ず、奪うために奪うのではなく、州や県の役人の鼻をあかすためにやることだ、と説明した。奪ったものを、私物にすることも許さなかった。

盗賊を働き、世を乱す。乱れに乱れた世を、やがて民の力で叩き壊す。そしてその先に、新しい国の姿が見える。晁蓋は、阮小五にはそれを語った。この三人にも、語っているのかもしれない。

叩き壊し、それから新しい国を作るという言葉は、阮小五が心の中に抱き続けていたものを、はっきりと表現していた。霧が晴れたような気分になったことを、いまでも思い出せる。

この世は、役人のものであっていいはずはなかった。それをいくら叫んでみたところで、むなしいだけだ。腐った役人は、殺す。それでなければ、この世が役人のものだという情況は変りはしないのだ。

晁蓋は、開封府の帝や高官の話もした。それは、阮小五にとっては遠かった。村の、県の、腐った役人だけしか、阮小五には見えていないのかもしれない。そこから上へ辿《たど》っていけば、さらに大きな腐臭を放つものがあるのには違いないのだ。そこまではわからないと晁蓋に言うと、それでいいのだと笑った。

どこかの県で、普通に道を歩いていて擦《す》れ違う役人が、なにも気づかずに放つ腐臭。それが、この国の臭《にお》いそのものだと思っていい、とも言った。

「あの人は、いずれ大きなことをする。俺たちがここにいるのも、盧俊義が懸命に塩の道を作ろうとしているのも、いずれやるべきことがあるからだ。俺も、王英も鄭天寿も、それを信じているかぎり、不思議に生きていると思える。旅人を襲い、荷を奪い、殺した者の肉を食らうことしか知らなかった俺らが、生きていることに意味がある、と思えるのだぞ、阮小五」

「そのいずれが、近づいている、と俺は思う。盧俊義殿の動きが、明らかに変ってきた。これは、動く前兆に違いないぜ。それに鄆城で、あの人を中心に、何人かが集まった気配もあるんだ」

「誰が、集まる？」

「俺たちと同じことを考えているやつらが、ほかにもいると思う。俺は、魯智深という坊主に会ったが、明らかに俺たちと同じ匂いを持っていた。同志と思っていい、と盧俊義殿も言ったしな」

「その坊主の話は、俺も聞いたことがあるぜ、阮小五。九尺はあるでかいやつで、八十斤《きん》（約十八キロ）の錫杖《しやくじよう》を振り回すそうだ」

王英が言った。阮小五が会った魯智深は、武器になるものをなにも持っていなかった。ただ、どこにも隙はなく、静かな気を湛《たた》えていた。

「あの人がなにかはじめれば、いろいろな人間に会うことになるのだと思う。それまでは、盧俊義殿の指示に従えばいい」

「盧俊義はいいとしてだな、俺はどうもそばにいる燕青というのが気に食わんのだ、阮小五。あの二人が、男女のように睦《むつ》み合っているかもしれないと考えると、反吐《へど》が出そうになる」

鄭天寿はそう言ったが、外見の感じは燕青とよく似ていた。

「おまえ、そんなことはあまり言わねえ方がいいぜ」

肉に食らいつきながら、王英が言った。

「野郎、体術ができる。人足と盧俊義が揉めた時、あっという間に四人を投げ飛ばしたのを俺は見たぜ。あの分じゃ、武器だって相当遣える。それに較《くら》べ、おまえはただの銀細工の職人で、盗賊になってからだって、大して修行はしなかった」

王英に言われ、鄭天寿はうつむいた。

燕青は、阮小五も好きではない。しかし、腕が立つことは知っていた。やり合うなら、水の中しか考えられない。

「とにかく、俺も時は近いのではないかと思っている。だから、青州の軍に攻められたくはなかったのだ。もしあの人が動くのなら、今度の獲物は役に立つかもしれんぞ」
燕順の言う通りだ、と阮小五も思った。武器などより、馬の方が手に入れにくい。
ほかの者たちにも酒が配られはじめたのか、遠くでどっと笑い声があがっていた。

天《てん》雄《ゆう》の星

一

光がなかった。

牢番《ろうばん》がいるところから、かすかに洩《も》れてくる灯火だけが、感じられる唯一の明るさだ。食事がなにかも、はっきり見えなかった。糞尿は三日に一度、壺《つぼ》を抱えて捨てに行く。それも、外へ出られるわけではなかった。地下の突き当たりに、下水が流れている。そこに捨て、流れている水で壺を洗うのである。

そういう牢が、十いくつか並んでいるようだったが、時々呻《うめ》きが聞えたりするだけで、話し声もしなかった。取調べのためか、連れ出される者が時々いたが、戻ってくる時は引き摺《ず》られていた。

林冲《りんちゆう》は、はじめのころのように、頻繁に取調べを受けることはなくなった。ひと言も喋《しゃべ》らず、拷問にも耐え抜いた。それからは、この牢に移され、ほとんど放置されているのだ。

じっと座って、闇《やみ》を見つめた。何日が、いや何十日が過ぎたのだろうか。拷問で受けた躰《からだ》の傷も、いつか癒《い》えていた。考えるのは、志のことだけだった。この国を変えようという志を持った。腐っていない国を作ろうと思った。それだけを考えていれば、痛みにも苦しさにも耐えられた。しかし時々、不意に張藍《ちょうらん》の顔が浮かんだ。白い躰が、乳房が、尻が、闇の中に浮かんだ。狂おしい思いが襲ってくる。それが耐え難かった。座っていられず、湿った土の上を転げ回った。

呻きをあげそうになると、高俅《こうきゅう》が言った言葉を思い出した。凌辱《りょうじょく》のかぎりを尽した。それを、高俅は見せ物にして愉《たの》しんだ。呻きさえも、心の中で死んだ。息を止め、そのまま死んでいくこともできるような気がした。

いまになって、はっきりとわかる。自分は、張藍を愛していたのだ。それを張藍に伝えることが、もうできなかった。

志がなんだ。そういう時は思う。志などというものがあったために、張藍への愛をついに自覚することがなかった。張藍が死んでからの自覚など、自覚ではないのだ。

生き延びるべきなのか。

水を断っても、食を断っても、死ぬことはできる。そうしないのは、志が遮っているからなのか。

幼いころから、槍《やり》の修行を続けた。その槍を、どこで生かせるか考えはじめた時から、放浪をはじめた。槍ひと筋に生きるということは、どうしてもできなかったのだ。そして、宋江《そうこう》という男に出会うことになる。

宋江は、槍の技倆《ぎりよう》をどう生かすべきか、自分に考えさせてくれた、と林冲は思う。しかし、この牢の中で、槍にどういう意味があるのか。ただ生かされている。それだけのことにすぎない。それはもう、命とも言えないのだ。

この国を変えるために、自分の槍の技倆が役に立つ。闇の中でじっと座っている時は、そうも思うことができた。

ひとたび張藍の姿が思い浮かぶと、そんなものは消えてしまう。

張藍は、死んだ女なのだ。何度も、自分にそう言い聞かせた。会いたくても、会える女ではない。つまり、幻。いまはそれ以外のなんだというのだ。

日に数度、林冲は逆立ちをして両腕だけで躰を支えた。ゆっくりと数を数え、半刻(十五分)はそのまま耐えた。片脚で立ち、膝《ひざ》を曲げる。それで、やはり半刻は耐えた。

そういうことをしている間、なにもかも忘れていられた。闇の中では、最初は躰が安定しなかったのだ。だから、集中していられた。馴《な》れてしまうと、逆立ちをしながら、さまざまなことを考えるようになった。すると、逆立ちしたまま、身悶《みもだ》えする。

生き延びるべきなのか。

その自問さえしなくなった時、自分は多分死ぬだろう。知っていることをすべて自白するという、生きながらの死かもしれない。その前に、自ら死を選ぶべきではないのか。

脱獄については、時々考えた。床は土で、壁は石。道具は、なにもない。外へ出るのは、糞尿の壺を洗う時だけだ。その下水の道も、人が入れるような大きさではなかった。

牢番を襲うのも、難しい。食事は、小さな戸から差し入れられるだけだし、地下からあがったところが、牢番の溜《たま》りになっているようだ。ほんとうの牢は、この上にある。そしてそこを抜けたとしても、禁軍府《きんぐんふ》の真中にしか出ないのだ。

ある時から、自然に心を落ち着かせようとするようになっていた。座り、じっと眼を閉じている。思い浮かぶもののすべてを、払拭《ふっしょく》する。時には、丸一日そうしていられることもあった。一日一度の食事が出され、さらに次の食事が出されることで、それがわかった。しかし、二日と続けてもいられない。

張藍の顔を、頭から消せなくなる。そしてまた、のたうち回る日々が続くのだ。

糞尿を捨てる日でもないのに、牢の扉が開けられた。牢番の兵のひとりが、明りをつきつけてくる。眩《まぶ》しさで、林冲は強く眼を閉じた。

両足首に、鎖がつけられていた。抱えるようにして、歩かされる。その間も、林冲は眼を閉じ続けていた。陽の光の中だということが、眼を閉じていてもわかった。やがて、建物に入り、座らされた。風通しのいい部屋だ、と林冲は思った。地下の牢は、ほとんど空気も動かなかったのだ。薄く、眼を開いた。それから、閉じた。何度か、それをくり返した。ようやく、眼を開けていられる状態になった。

部屋には、六人の兵が立っていた。前に取調べを受けたのもここだった、と林冲は思った。どれほど前だったのかは、よくわからない。何日、地下の牢に入っていたかも、曖昧《あいまい》になっているのだ。

三人を従えて、李富《りふ》が入ってきた。以前のように、鳥肌が立つようなことはなかった。拷問を受けている時も、見ている李富の表情は変らなかった。殺すまでやるな。死ぬのは、この男にとっては苦しいことではないのだぞ。そんなことを、茶を持って来い、と言うような口調で指示するだけだったのだ。

「地下の牢は、少しは懲《こ》りたか、林冲。あそこに数カ月入っていると、大抵の者は死ぬ。でなければ、狂う。おまえは、実によく耐えた。もう喋ってもいいだろう」

李富は、林冲とむき合って腰を降ろし、冷たい視線で顔を覗《のぞ》きこんできた。

「魯智深《ろちしん》という坊主は、何者なのか。誰と繫《つな》がっているのか。塩の道がどうなっているのか。どのひとつでもいい。喋りさえすれば、解放してやろう」

塩の道、というのがよくわからなかった。魯智深は、確かに塩にこだわり、闇の道を捜していた。

つまり、塩の道を作りあげている、別の誰かがいるということなのか。そしてそれを、魯智深とその上に繋がる人間がやっていることだ、と李富は考えている。

「七千石の塩が、密州《みつしゅう》で奪われた。いまのところ、どこからも塩は出ていない。闇の道に流れたのだろうと思う」

李富は、林冲の反応を窺《うかが》うようにして、喋っているようだった。林冲は、唇を引き結んだ。そうした時に、拷問の覚悟もした。口を開かない人間は、拷問にかける。この男たちは、そういう方法しか持っていない。

「奥方のことは、気の毒だったと、いまも思っている。あとで調べたら、高俅殿の使者が、奥方ひとりしかいない部屋に入った。これは、明らかに礼儀に反するし、疑われても仕方がないことだった」

張藍の姿が浮かびかけたが、林冲は李富の眼を見返すことで、なんとかそれを消した。

「本来なら処断を免れないところだが、事情を汲《く》むべきだという意見も、軍内にはあるようなのだ。喋れることがあったら、喋ってみないか、林冲。それで、釈放してやれる。喋らないのであれば、なんらかの刑を科さなければならなくなる」

李富の口調は穏やかだが、眼は笑っていなかった。この男は、こういう喋り方もできるのだ、と林冲は思った。

「豹子頭《ひょうしとう》林冲。禁軍の中で、豹子頭とまで呼ばれ恐れられた武術家が、惨《みじ》めな罪人として朽ち果て、滅びていくのか。私は、それを惜しむ。惜しむがゆえに、罪状を決定する前に、こうして会っているのだ」

林冲は、李富の眼の奥を見つめた。嘘《うそ》はない。そう感じた。しかし、真実もない。

いきなり、部屋に高俅が従者数人とともに入ってきた。

「林冲の最後の取調べだと聞いた。終ったら、こいつを私にくれぬか、李富？」

「なにを言われます、高俅様」

「こいつは、俺の使者を斬《き》り殺したのだぞ」

「だから、こうして取調べています。高俅様の使者が、婦人ひとりしかいない部屋に入ったことも確かで」

「なにを言う、李富。あれは、おまえが」

「高俅様、人の前で言っていいことがおわかりになっておりませんな。あの使者は、高俅様がお出しになったのです」

「それは」

それだけ言い、高俅は不快そうに横をむいた。

「取調べを終えたら、刑を決定します。地下の牢に入れるべき者は、ほかにおりますし、これから塩賊も捕えられてくるでしょうし。高俅様、塩賊はもうそろそろ捕えられるのであリましょうな」

「密州からは、猫一匹出られぬ。網を少しずつ絞っていけば、そこに塩賊がいる」

「そうあって欲しいものです」

李富の口調にある皮肉な響きを、林冲も感じ取った。高俅は、また不快そうに横をむいた。

「高俅」

林冲は言った。言葉が口の中でくぐもってしまうようだった。声を出したのは、多分数カ月ぶりだ。

「私を殺しておけ。生きているかぎり、私はおまえをつけ狙《ねら》う。脚も手もなくなっても、おまえののどくびに食らいついて、殺してやる」

高俅を見据えた。眼が合うと、高俅は笑いはじめた。

「おい、李富。この男は処刑するのだろうが、まず手と脚を切り落とせ。それでも私に食らいついてくるかどうか、試してみようではないか」

「処刑とは決まっておりません。事情を汲むべきだという意見が、軍内にもありますので、それなりの決定が下されると思います」

「わしを殺す、と言っているではないか」

「高俅様は、死にかかった囚人の言葉で、殺されてしまうのですか？」

「ふむ。おまえも蔡太師《さいたいし》に気に入られているからといって、なかなか大きな口を利《き》くではないか。まあいい。放免でもなんでもすればいい。おい、林冲。おまえの女房が死んだのは、操を立てたからでは決してないぞ。けだもの以下になった。そういう自分の浅ましさを恥じただけなのだ。放免されたら、私を殺しに来い。いつでも、私自身で相手をしてやろう」

言い捨てて、高俅は部屋を出て行った。

「おまえを死なせるには」

しばらくして、李富が言った。相変らず表情はない。高俅の部下でなく、蔡京《さいけい》の直属なのかもしれないということが、いまのやり取りでわかったような気がした。

「放免するのがいいのかもしれんな。そうすれば、おまえは高俅の部下に斬り刻まれる。しかし、それを決めるのは私ではない。私の質問におまえが答えれば、自由にしてやるぐらいのことはできるがな」

林冲は、もう唇を引き結んでいた。

李富は、さらにいくつかの質問を続けた。それから不意に、肩から力を抜き、笑った。この男が笑うのを、林冲ははじめて見たような気がした。

「男だな、林冲。そうやって男にこだわってなんになる、と言いたいところだが、羨《うらや》ましくもある。この国は乱れはじめ、各地に盗賊が横行している。蔡太師は、それを憂慮されているのだ。おまえのような男が百人いたら、この国の軍は精強になり、軍規も徹底され、盗賊の横行も許さぬだろう。惜しいと思うが、おまえのような男だからこそ、政府から離れていくとも言える。しかし、まだひとりだ。しかも捕えてある。あとの九十九人は、政府から離れさせぬ。この身に代えて、私はそうするつもりだ」

九十九人というのは、ただの喩《たと》えで、軍を立て直すと李富は言っているようだった。それは、蔡京の意志でもあるのだろう。

「盗賊の中に、ほんのわずかだが、政府を覆《くつがえ》そうと考えている者たちがいる。私はそれを峻別《しゅんべつ》して、ひとつひとつ叩《たた》き潰《つぶ》していくつもりだ」

林冲は、李富を見つめていた。高俅よりもずっと手強《てごわ》いだろう。権勢を欲しがっているだけには見えない。

「国は、すでにあるのだ、林冲。それなら、内側から変えていくべきではないか。外から壊すことに、どういう意味がある？」

すでに腐っているのだ、と林冲は言いかけた。言葉を発することで、李富の術中に嵌《はま》るような気もした。

「また会うかな、どこかで」

黙ったままでいると、李富はそう言って腰をあげた。

二

上半身を引き剝《む》かれ、頭上の横に通った丸太に、両手首を縛りつけられた。

棒打ち二十回の刑である。

一昨日、李富が去ったあとに入れられた牢は、ごく普通のものだった。きのうの取調べには李富は姿を見せず、内容も林冲が高俅の使者を斬った事情を訊《き》くことに終始した。そして棒打ち二十回、滄州《そうしゅう》へ流刑という判決が下ったのである。

丸太にぶらさげられていても、死罪にならなかった自分が不思議だとしか、林冲は考えていなかった。

棒を持った兵士が現われた。棒打ち十回でも、死んだ人間を林冲は知っている。三十回耐え抜いたという罪人もいた。二十回が死の境目だろうと言われていたが、林冲はあまり実感を抱かなかった。自分が打てば、二回で生き残る者はいない、とも思った。

「はじめ」

声がかかった。銅鑼《どら》が鳴る。まず、風を感じた。それから樫《かし》の棒が背中に食いこんできた。風を感じた時、本能が全身の筋肉を緊張させていた。

「こいつは」

棒打ちの兵士の声が聞えた。

「撥《は》ね返したぜ、棒を」

二回目。全身に響くように打ちこまれたが、林冲は声すらあげずにいられた。三回、四回と棒が打たれていく。棒打ちの兵士は、呼吸《いき》を弾ませていた。

「半端じゃねえ、こいつは。肉が割れて血が噴き出してるってのによ」

十回で、棒打ちが交替した。二人目も、やはり途中から呼吸を乱した。

二十回が終り、手首を縛った縄が解かれても、林冲は自分で立っていることができた。牢へ放りこまれた。牢番の兵が、黙って水を差し出してきた。林冲はそれを、背中にかけた。しみる。やはり塩水だった。

牢の中に座り、一日じっとしていた。背中の、肉が割れたところも、血がかたまったようだった。

翌日、粗末な衣服を着、手枷《てかせ》と首枷を付けられ、二人の護送役人に連れられて、開封《かいほう》府《ふ》を出た。無論、見送る人間はいない。

昼食は与えられず、夕食は椀に半分ほどの粥《かゆ》を貰《もら》っただけだった。二日目も、三日目もそれだけだった。

滄州までは、河水《かすい》（黄河《こうが》）を下る船の便があるが、四人には許されていなかった。とにかく、歩くほかはない。空腹の苦しさも、四日目あたりから消えた。

「おまえの食い扶持《ぶち》はそれだけで、あとは銭で買うしかないんだよ」

粥の椀を渡されるたびに、そう言われた。護送役人に銭を握らせれば、待遇がよくなることはわかっていた。この国では、ほとんどの役人がそうなのだ。

見送る人も、いないのである。銭などあろうはずもなかった。

五日目に、草鞋《わらじ》が擦《す》り切れた。新しい草鞋は渡されず、手枷も首枷もはずされなかった。手枷はまだいいとして、首枷は眠る時に邪魔で、その苦しさが少しずつ溜ってきた。張藍の苦しみは、こんなものとは較《くら》べものにならなかったはずだ、とそのたびに思った。

裸足《はだし》の足は、すぐに血にまみれたが、それもかたまった。

七日目には、鄆城《うんじょう》の近くを通った。あの人はどうしているのか。ふと思う。自分は、もう死んだとされているのだろうか。

鄆城に寄る旅程ではなかったが、別に残念だとも思わなかった。自分が捕縛されたと知った時から、あの人は万一の場合を考えて、どこかに移動しているはずだ。

十日目になると、歩きながら視界が白くなることが起きるようになった。倒れてはいない。夜、充分に眠ることができないのが、体力を衰弱させているようだった。

首枷だけはずしてくれと言ってみたが、護送役人は笑っているだけだった。宿泊の費用も浮かそうというのか、野宿ばかりで、眠る前には必ず足もきつく縛りあげられた。

十一日目だった。いきなり眼の前に大きな躰が飛び出してきて、護送役人を殴り倒した。

魯智深だった。

「済まぬ。追いつくのが遅れた」

「まったく、いいところに現われるものだ、花和尚《かおしよう》は」

「開封府の南で待ち構えていたのだ。北へむかったと聞いた時は、焦りに焦った」

「私が、生きているとわかっていたのか？」

「ずっとわからなかった。戴宗《たいそう》からの使者でわかったのだが、おまえは江州《ごうしゆう》へ護送されるはずだったのだ」

魯智深は、護送役人の腰から鍵《かぎ》を取り、手枷と首枷をはずした。

「鄆城の宋江殿の使者からも、最初はそう言ってきていた」

「鄆城？」

「そうだ」

「宋江殿は、鄆城に戻られたのか？」

「いや、ずっと鄆城を動かれなかった。俺は、動いた方がいいと勧めたのだが。おまえが、決して吐かないと信じる、と言ってな。酒も断って、鄆城でじっとしていた」

「馬鹿な」

「豹子頭林冲を信じられずして、なにが新しい国作りだ、と言っていたよ。言いだすと、誰よりも頑固だからな」

「そうか。宋江殿は、鄆城を動かなかったのか。いつもながら、泣かせてくれるな」

「それより、腹が減ったろう、林冲。どこかで肉でも食おう」

「忘れたな。自分が生きていることも、忘れていたような気がする」

魯智深は、気絶している二人の役人に活を入れ、息を吹き返させた。魯智深の巨体に、二人は怯《おび》えていた。

「この先の宿屋へ行く。しばらくは、そこで林冲を休ませる。心配するな。銭はあるからな」

水だけ飲み、林冲は歩きはじめた。裸足であることに気づいた魯智深が、役人の腰から草鞋を一足もぎ取ってきた。

宿まで、それほどの距離はなかった。

宿屋に入ると、まず粥と少量の肉を食い、それから躰を洗った。皮膚が一枚剝《は》げ落ちるような感じで、垢《あか》が落ちる。

心地よく眠った。眼醒《めざ》めたのは、夕刻だった。魯智深は、部屋の隅でじっと林冲を見ていたようだ。

「おまえ、禁軍府の地下の牢に入れられていたのか、林冲？」

「そうだ。まるで光というものがなく、闇に眼が利くようになった気がする。ひどいところではあったが」

「よく生きていた」

「あそこで、かえってよかったのかもしれん。張藍のことを思い出すと、じっと耐えていられないほどだったからな。まともな場所だったら、逆に正気を失ったという気もする」

「顔つきが、すっかり変った」

「まあいい。ところで、いまは何月の何日なのだ」

「もう四月になっている」

六カ月ちょっと、牢にいたということだった。それが長かったのか、短かったのか、自分ではよくわからなかった。

「奥方のことは」

「言わないでくれ、魯智深。言われてどうなるものでもない」

魯智深がうつむいた。

林冲は、足の傷に手をやった。瘡蓋《かさぶた》はまだ新しく、剝がさない方がよさそうだ。棒打ちで受けた傷は、ほとんど癒えている。着物も新しく、気持のいいものになっていた。

「羊の肉を、用意させた。それから、酒も少々」

「護送の役人がいるところを見ると、私は滄州の牢には行かねばならんのだな」

脱走させるつもりなら、役人を殴り倒したところでやっているだろう。滄州の牢に、宋江が考えた仕事があるのかもしれない。

「慌てることはない。その話はあとで。おまえが入牢している間に起きたことを、まず話そう」

できるかぎり、劇的なことを聞きたかった。それで、いくらかでも張藍のことを忘れられるかもしれない。張藍を、惨めに死なせたのは、自分だった。自分の妻にさえならなければ、高俅に凌辱されて、死ぬこともなかった。愛し抜いて、妻にしたわけではない。妻にしてからも、肉欲の対象だと、自分に思いこませようとしてきた。だから愛しているという言葉を発することもなく、情欲のままに抱き続けたのだ。

愛しているのだと気づいたのは、牢に入れられてからだった。なんという鈍さだったのだ、といまにして思う。男女の愛がどういうものかも、よくわかってはいなかった。

「東渓村《とうけいそん》の、晁蓋《ちょうがい》という保正《ほせい》を知っているか、林冲？」

「托塔天王《たくとうてんおう》と呼ばれている、あれか。名だけは、聞いたことがある」

「晁蓋の一派と、手を結んだ。つまり、同志というわけだ。宋江殿は、晁蓋ともう何年も親しんできたらしい」

「一派と言ったな、魯智深？」

「ひとりではないのだ。晁蓋には、有力な同志が何名もいる。その中で俺が会ったのが、北京大名府《ほっけいたいめいふ》の商人である、盧俊義《ろしゅんぎ》。その従者の燕青《えんせい》。下で働いている、阮小五《げんしょうご》。阮小五には、小二《しょうじ》という兄と小七《しょうしち》という弟もいる。それから、滄州の名族で、柴進《さいしん》。ほかにも、相当な数の同志がいると思う」

「全国に、網を拡げているのか？」

「そういうやり方とは、少し違う。晁蓋が真剣に考えているのは、まず塩の道に食いこむことだろう。すでに盧俊義が、闇の道を何本か作り、かなりの量の塩を動かしている」

「なるほど。七千石の塩とはそのことか」

「いくらかは、知っているらしいな。七千石の塩を奪ったのは、闇の道の入口を担っている者から、軍や役人の眼をそらさせるためだという話だ。七千石は開封府にも衝撃を与えたであろうが、塩はすべて海に捨てられたのだという」

「晁蓋は、塩賊の元締めか」

「その役目は、盧俊義だな。晁蓋は、各地で盗賊を働いている。それもまた、仮の姿と言っていいだろう。宋江殿が、なに食わぬ顔で役人をやっているように」

酒が運ばれてきた。

林冲の盃《さかずき》に、魯智深が注《つ》いだ。久しぶりの酒だったが、切実に飲みたいとは思わなかった。別の部屋では、護送役人たちが酒を飲んでいるようだ。

魯智深は自分の盃にも注ぎ、一杯だけ飲み干した。

「ともに、同じ志を持っている。そういう同志が、鄆城のすぐそばにいたということだ、林冲。宋江、晁蓋の二人が出会ったのは、運命的なことだったという気がする」

魯智深がそこまで言う晁蓋とは、どういう男なのか。会ってみたい、という思いが湧《わ》いてくる。開封府を出てから、林冲がはじめて抱いた、興味らしいものだった。

「晁蓋とはじめて会った時、俺は全身がふるえた。これぞ英雄。その言葉しか浮かばなかった。晁蓋を同志とすることで、宋江殿の志は、実現に大きく近づいた、と俺は思う」

「これぞ、英雄か」

「あの男が立てば、人を魅《ひ》きつける。無名の民たちをもだ。宋江殿は、その持つ志と、人柄でわれらを魅きつけているが、晁蓋という男は、それとはまるで別の魅力を持っている」

「しかも、塩を押さえるような、現実的な部分もあるのだな」

「それは、周囲の人間がやっているということだろう。晁蓋という男は、極端に言えば、いるだけでいいのだ。晁蓋の姿を見ただけで、人は夢を持てる」

「わかった。私もいずれ会うことがあるだろう」

「お互いに、すべての同志を知っているわけではない。しかし、晁蓋の名を口にすることで、助けられることがあるだろう。俺も、宋江という名を口にする者がいたら、助けるつもりでいる。新しい同志について、喋ることは、これだけだ」

羊の肉と、野菜を煮たものが運ばれてきた。

林冲は、盃に口をつけた。わずかひと口だが、酒が躰を駈け回るような気がした。

「ところで、おまえが江州に流されるはずだったという話だが」

林冲は、羊の肉を口に運んだ。

「牢に入れられている盗賊の中で、政府へ謀反《むほん》を企てている者が、いま洗い出されている。戴宗の話では、それがはっきり見えないのだそうだ。政府は、おまえをただの人殺しとは思っていないからな。おまえを牢に入れることで、集まってくる囚人の中に謀反人がいると見ているのだ」

「そうか。李富の考えそうなことだ」

「政府は、江州か滄州の牢を考えていたらしいが、戴宗が牢役人として、開封府から打診を受けている。幸いにして、江州の牢に同志はいないが、謀反人がかなり紛れこんでいる、と開封府には返事をしたらしい。おまえを送るという通達が一度は入ったらしいのだ」

「それで、南で待っていたのか」

飛脚屋商売をやっている戴宗は、江州の牢役人でもあった。同志の間の連絡は、戴宗の力に頼ることが多い。

「なにしろ、おまえの護送が決まったという情報が、いきなりだったのでな」

「地下の牢で、数カ月放置されていた。それから上へあげられたと思ったら、三日目には開封府を出ていたのだ」

「渭州《いしゅう》の牢城には、公孫勝《こうそんしょう》という同志がいる。こちらも地下ではないかと、宋江殿は心配しておられる。とりあえず、おまえは地下からは出た」

李富は、まともな裁判を受けさせると言っていたが、肚《はら》の底では自分をまだ利用しようと考えていたのだろう、と林冲は思った。だから、高俅が殺そうとするのも許さなかったに違いない。

「滄州にも、なにか打診したのだろう。やはり謀反人の洗い出しのようなことではないか、と俺は思う。滄州の方が、おまえの利用価値があったということだ、林冲」

「いるのか、謀反人が？」

「同志にはいない。しかし、密州で、大規模な塩の強奪があったばかりだしな。政府の眼が、北へむいたのだな」

羊の肉は、久しぶりだった。生きていることは浅ましい、と林冲は思った。この肉を、たまらなくうまいと感じてしまう。

「それで、おまえがもう一度牢へ行かなければならん理由だが、実は牢内にいる男をひとり連れて、脱獄して貰いたいのだ」

「同志はいない、と言ったではないか」

「同志ではない。いまのところな。医師なのだ。鍼《はり》から灸《きゅう》、薬草から傷の切開まで、なんでもこなす。もともと江南《こうなん》（長江《ちょうこう》の南）の人間だが、薬草捜しの旅に来た時、宋江殿に会ったらしい。同志に加えたい。だからおまえの仕事は、脱獄だけでなく、その男を同志にするところからはじまる」

医師という発想まで、林冲にはなかった。戦《いくさ》となると、確かに医師が必要になる。

「なにをやったのだ、その男？」

「なにも。北京大名府で、高官お抱えの医師に嫌われた。あまり効かぬ薬を、高く売っているので、安くて効く薬を売っただけのことだ」

「北京大名府まで、江南から薬草捜しか」

「もっと北へ行くつもりだったのかもしれん。医術のことになると、どんなことでもやってしまう馬鹿だという話だ。滄州の牢城にいるというのは、柴進からの情報で、宋江殿はひどく乗り気になった」

「わかった。やってみよう」

やらなければならないことが、なにかある。それはいまの林冲にとって、願ってもないことだった。それで、なにかを忘れられるかもしれない。

「これからさらに、北へむかって旅をする。その間に、体力を回復させろ。俺も同道して、護送役人がおかしなことをしないようにする。滄州が近くなったら、柴進が迎えに来る。おまえを柴進に引き渡したら、俺の仕事は終りだ。脱獄したあとも、柴進がすべての手配をしてくれるはずだ」

「ありがたいな、同志は」

入牢前は、こんな言い方はしなかった。地下の闇の中での数カ月が、確かに自分を変えた。しかし、志まで変ってはいない。

「私が、一緒に脱獄してくる者の名は？」

「安道全《あんどうぜん》。三十歳そこそこで、おまえと同じぐらいだ」

「誰か、有名な医師の弟子かな？」

「わからぬ。十六歳の時から鍼を打ちはじめた、という話を宋江殿は聞いたそうだ。御自身でも、打って貰ったらしい。牢内に鍼を持ちこめているかどうかは、わからないが」

「ほかの同志は、どうしている」

「青州にいる花栄《かえい》が、いろいろと大変なようだ。闇の塩の道の入口は、どうやら青州にあるようで、青州軍の将校としては、いずれ新しい同志と戦をさせられることになるかもしれん」

花栄は、すぐれた軍人だった。いつも、冷静なのだ。軍人には二通りあって、激した勢いで戦をする者と、どんな時にも冷静でいられる者がいる。

「あとは、変りはないな」

「そうか。開封府では、李富の役割が今後大きくなるような気がする。高俅などより、ずっと手強いぞ。蔡京の直属という気配があるし、権限も大きいと思う」

「そのあたりの調べは、少しずつついている。宋江殿にも俺にも、情報をくれる者が何人かいるからな」

「おまえは開封府には入るな、魯智深。私が李富に受けた訊問《じんもん》は、ほとんどおまえとの関係についてだった」

「気をつけよう。おまえを柴進に任せたら、俺はしばらく西へ旅をするつもりだ」

「王進《おうしん》殿か。しかし」

「同志にできるとは、思っていない。ただ、なぜか気になる。それに、九紋竜《くもんりゅう》という若者がどうなったかも、見てみたい」

「王進殿の直弟子か。私も立合ってみたいものだ」

「おまえがまずやることは、旅をしながら体力を回復することだ。それから、心の傷を内側に閉じこめておけるようになることだ。冷たい言い方かもしれぬが」

張藍の死は、やはり自分の心の中に閉じこめてしまうべきものだろう。自分のせいで死んだ女だ。ただ、高俅だけはいつか斬り捨てたい。

「護送役人には、大金を握らせた。おまえが滄州の牢に行くかぎり、大抵のことは大目に見るはずだ」

「役人は変らんな、どこも。旅をしながら、そう思った。自分の得にならないかぎり、草鞋一足渡そうとはしない。しかし、やつらもそうせざるを得ないのだ。ずっと、宿屋にも泊らず、野宿で旅をしてきた。支給される宿賃さえ、家族のために貯《た》めこみたいのだ」

「それが、この国だ、林冲。下っ端の役人まで腐っているが、悲しい腐り方なのだ」

いつの間にか、何杯か盃《はい》を重ねていた。羊の肉も、ほぼ食い尽した。

「豹子頭林冲、そろそろ蘇《よみがえ》るか」

呟《つぶや》くように、林冲は言ってみた。

三

馬が十騎ほどだった。

滄州に近づいている。

魯智深が、林冲に眼で合図をした。林冲は、首枷が邪魔で頷《うなず》けず、やはり眼で返事をした。護送中の首枷は、さすがにはずすわけにはいかない。護送役人の最低の仕事と言ってよかった。

「俺はここで別れる。もう滄州はそこだ。金は充分に渡した。決してひどい扱いはするなよ」

護送役人にそれだけ言い、魯智深は脇道《わきみち》に姿を消した。十騎は、道を塞《ふさ》ぐようにして動かない。不安そうに、二人の護送役人が顔を見合わせた。中央に、派手な上衣を着て、白馬に乗った男がいる。

「私は、横海郡《おうかいぐん》に館《やかた》を持つ、柴進という者だ。その四人は、禁軍槍術《そうじゅつ》師範であった、林冲殿と見た。護送の途中だとはわかっているが、一夜、わが屋敷に招きたい。この地を通る腕自慢は、大抵私の館に寄ることになっているのだ」

ひとりが馬を降りてきて、護送役人に銀一両ずつ渡したようだった。館まで、歩いてそれほどの距離ではなかった。ひとりだけ道案内に残して、柴進の一行は土煙をあげて駈け去っていた。

館に入ると、すでに酒席が用意されていた。

やはり十人ほどが顔を並べ、手枷と首枷を付けられたままの林冲に、じっと眼を注いでいる。

「武芸好きの近在の者で、私の館に出入りしている。それより、役人を呼んで林冲殿の手枷と首枷をはずさせろ」

銀を握らせていたのが効いたのか、役人はあっさりと手枷と首枷をはずし、別間に案内されていった。

酒宴がはじまった。出る話はほとんど槍術のことで、尋ねられると、林冲は短くそれに答えた。柴進は、黙って酒を飲み続けている。

「私は、頭上で百回も槍を回すことができます。その間は、敵は近づけない」

「百回を過ぎたら、どうされるのですか?」

「その前に、敵の隙《すき》を見つけて打ちこむのです。実際、滄州城内の試合で、私は勝った」

「それは、いつか拝見したいものです」

そんな、他愛ないやり取りばかりだった。

みんな、自分が強いことを自慢する。多少の修行を積んだ者なら、それは当たり前のことと言ってもよかった。しかし、それも隙なのだ。ほんとうの勝負をしようとする者は、なにも語らない。

この場で、なにも語っていないのは、柴進ひとりだった。それほど強くはない。しかし、かつて何度か本気で勝負をしてきた、という気配は持っている。

陽が落ちかかってきた。

室内では灯油が燃やされ、外では小作人たちが、篝火《かがりび》を焚《た》きはじめた。

門の方から、足音が響いてきた。

六人。足音で、林冲はそう判断した。足音に、穏やかではない気配があったのだ。

「おう、これは洪《こう》師範」

柴進が言った。洪師範と呼ばれた男は、ずかずかと室内に踏み入ってきた。

「こちらは、林冲殿と申されて、禁軍槍術師範をなされていた方です」

「囚人だと聞いたぞ、柴進殿。囚人なら囚人らしくしていればいいものを、手枷も首枷もはずして、酒などを飲んでいるのか」

「私がはずさせたのです。事情がどうであれ、練達の士として私の館にお招きしたのですから」

「なにが練達の士だ。小さくなっておるではないか」

洪師範は、出されていた酒瓶《さかがめ》を摑《つか》み、そのまま口に当てて中身を飲み下した。

「この中で、俺に勝てた者がいるのか。いや、俺の弟子たちに勝てた者は。まったく柴進殿は人が好《よ》い。この男が、ちょっとした盗みでも働いた小悪党であることは、俺にはよく見える」

林冲は、うつむいていた。柴進がどうするか、見てみるつもりだった。

「私らは、武芸は素人《しろうと》。師範方とまともにやり合えるはずもありますまい。こちらの林師範は、間違いなく天下第一。それゆえ、禁軍師範をなされていたのです」

柴進は、洪師範の気に障ることを、わざと言っているようだった。

「俺も、滄州で槍や棒を教えているのだ。立合ってみればすぐにわかる。こいつは、小悪党だ。柴進殿の人の好さにつけこんで、いくらかの銭をせしめようとしているだけだ。その証拠に、さっきからひと言も喋らず、うつむいているだけではないか。男なら、試合を挑まれたら、受けて立つ」

「それは面白いかもしれませんな」

林冲の方を見て、柴進が言った。

「私らも、師範同士の試合を見ることができるというわけですな。いかがです、林師範。ここはひとつ、師範の技を見せていただけませんか？」

「柴進殿のお望みとあらば」

「ほう。俺とやり合うと言うか。尻尾《しっぽ》を巻いて引き揚げた方がいいのだが、見栄《みえ》を張るところが、やはり小悪党だな」

「賞金をつけましょう。銀二十五両。勝った方に差しあげます」

二十五両と聞いて、洪師範の顔が緩んだ。

みんなが、慌《あわただ》しく動きはじめた。篝火が増やされ、棒が十本ほど運ばれてきた。外には、月明りもある。

柴進は、林冲の方を見ようともしていなかった。洪師範とその弟子たちは、すでにそれぞれ棒を執《と》っていた。

「弟子などと立合いたくはないな。洪師範、あなたと立合うことにしよう」

「帰った方がいいぞ。死ぬことになっても、俺は知らんからな」

黙って、林冲は庭に降りた。みんな、そこそこに棒は遣えるようだ。

棒を一本執り、林冲は静かに篝火に囲まれた場所に進み出た。

「二十五両だ。忘れるなよ、柴進殿」

洪師範は、林冲に棒を突きつけて叫んだ。

むかい合い、構えた。その瞬間に、洪師範の顔から血の気がひいた。林冲が踏み出すと、洪師範は、右、左と棒の両端を使って打ちこんできた。かわすともなくかわし、二歩、林冲は前へ出た。洪師範の手から、棒が落ちた。見物の者たちは、なにが起きたかわからないようだった。洪師範だけは、手首の痛みを必死でこらえているようだ。

「みんなで突き殺せ、この男を。どうせ罪人だ。殺せば、二十五両だぞ」

洪師範が喚《わめ》く。弟子たちが、ばらばらと林冲を囲んだ。

林冲は踏みこみ、ひとりを棒の先で突きあげた。頭上より高く男の躰は舞いあがり、地面に落ちた。二人三人と、宙に突きあげていく。相手の力を利用すれば、難しい技ではなかった。

五人が這《は》いつくばり、洪師範だけが残った。闇雲に突きかかってくる。恐怖に駆られているのは、よくわかった。林冲は軽く洪師範の鼻を突いて潰し、下から掬《すく》うようにして脛《すね》を打った。骨の折れる感触が、はっきりと棒に伝わってきた。不意に、林冲は残酷な思いに駆られた。涙を流してうずくまった洪師範のこめかみを、突きかける。

「いや、お見事。さすが、禁軍槍術師範。いいものを見せていただいた」

柴進の声で、林冲は自分を取り戻していた。

こめかみを軽く突くだけで、洪師範は呆気《あっけ》なく死んだだろう。殺そうとした自分の気持が、林冲にはよくわからなくなっていた。柴進の声に救われたと言っていい。

洪師範を担いで弟子たちが去っていくと、再び酒宴がはじまった。林冲は続けざまに質問を浴びせられたが、すべてに短く答えただけだった。

やがて、ひとり二人と酔い潰れ、林冲は寝室に案内された。

柴進がひとりでやってきたのは、それからすぐだった。

「同志だ。林冲と呼ばせて貰うぞ」

「私も、柴進と呼ぼう」

「腕試しなどをしてみたが、気にしないでくれ。それが、いかにも小旋風《しようせんぷう》のやりそうなことだ、とみんなが思うからな」

柴進が、小旋風と呼ばれていることは、魯智深から聞いていた。

「それにしても、大した腕だ。弟子どもが、鞠《まり》のように宙に舞いあがった時は、夢の中のことではないかと思った」

「なかなか遣うではないか、柴進も」

「驚いたな。わかるのか。確かに剣を少々遣えるが、凡庸だ。武術に関して、私はこれ以上にはなるまい」

「それがわかるのは、凡庸とは言えん」

林冲を見つめていた柴進が、にこりと笑った。子供のような笑顔だ、と林冲は思った。

「牢の生活は、やはりつらいものだったのか？」

「地下だったのでな」

「生きて、あそこから出た者はいない、と聞いたが」

「私は、生きていた」

「しかし、どこか荒《すさ》んだな。洪師範を殺すところだった」

「荒んではいるが、それは牢の生活によるものではない。事情も、訊かれたくないのだ」

「わかった」

柴進が座り直した。灯油の明りが、柴進の顔を揺らす。

「まず、滄州の牢のことだ。長官と牢役人に手紙を書いておいた。これで、いくらかはましだと思うが、ほんとうに役に立つのは、銭だけだ」

「わかっている。この国は、みんなそうさ」

「銭は不自由させないようにしよう。それで、牢内で自由に動き回れる。つまり、楽な使役に駆り出されて、幽閉され続けるということはないわけだ」

「ありがたい。じっとしているより、なにかしていたいのだ」

柴進が頷き、手紙を林冲の前に置いた。

「それで、安道全という医師のことだが、林冲」

「私は、顔も知らん」

「心配するな。牢内でも医師をやっている。まあ、使役に駆り出されるのと同じ意味だな。ひとりしかいない医師だから、すぐわかる」

今度は、林冲が頷いた。

「牢内のことで、してやれるのはこれだけだ」

「充分だ」

「脱獄ののちは、私に任せて欲しい」

「それもわかった」

「安道全は、変ったところがあるらしい。医師をやっていられたら、どんなところでも構わないというような。つまり、牢内も居心地は悪くないということだ」

「志を説いても、通じぬ相手か？」

「わからぬ。安道全に会ってから、方法を考えて貰うしかない。腕のいい医師が必要だというのは、晁蓋殿も同じ意見だ。安道全は、確かに腕のいい医師だよ」

「なんとかする」

「もうひとつ。これは確証のあることではないが、開封府の高俅が、おまえのことを気にしているらしい。刺客には気をつけろ」

「高俅らしいな」

「私が伝えることは、これだけだ。滄州近辺の地図がここにある。四つある私の別邸の位置を頭に入れておけ。脱獄したら、その中のどこかへ逃げこめばいい」

「さすが、名族の家だ。ちょっとした地主など、較べものにならんな」

「いやなのだよ、私は。名家に生まれ、名家の息子として育った自分が。東渓村の晁蓋殿と出会った時、この話をした。晁蓋殿も保正であるしな」

「私は、晁蓋という人とは、まだ会っていない」

「笑ったよ、あの人は。民の流した血と較べたら、名家の誇りなど屑《くず》のようなものだろう、と言った。捨てて惜しくないどころか、邪魔だから捨てた方がいいとな」

「民の流した血か」

「名もなく死んでいく。それも男の生き方だ、とそのころから私は思うようになった。

いまはまだ、柴大官人《さいだいかんじん》などと呼ばれているが、いずれ名もない男として死にたいと思う。その前に、やるべきことをやってからだが」

「見ていよう、柴進がどう死ぬか」

「なんとなく、好きになれそうな相手だと思っている、林冲」

「こそばゆいな。どうして、そんな言い方ができるのだ？」

「名家の当主だからさ。先祖は、大周《だいしゅう》皇帝なのだからな」

柴進が、またにこりと笑った。

「妻が、私が入牢中に、首を吊《つ》って死んだ。自分が殺したのだ、と私は思っている」

「よせよ、林冲。なにも言いたくはなかったのだろう」

「そうだな」

「とにかく、おまえが気をつけなければならないのは、高俅の刺客だけだ。それにしても、つまらぬ男が軍の首脳にいるものだ。遼《りょう》や西夏《せいか》という外敵を抱えているというのに」

「高俅はつまらぬ男だが、軍にはあの童貫《どうかん》がいるのだ。その上に、清濁あわせ呑《の》む蔡京という怪物がいる。甘く見ることはできん」

「そうだ。そんな喋り方をしていればいい。それなら、豹子頭という呼び名もしっくりくる。拗《す》ねた言い方が、似合わぬ男だよ、おまえは」

「気をつけていよう」

柴進は、まだなにかを語りたがっているようだった。眠い、と林冲は言った。諦《あきら》めたように、柴進は腰をあげ、部屋を出ていった。

ひとりになっても、林冲はしばらく眠らなかった。

地《ち》暴《ぼう》の星

一

魯智深《ろちしん》は、まず北京大名府《ほっけいたいめいふ》に入った。

盧俊義《ろしゅんぎ》がいるので、情報を留めておく場所が、新しくひとつできたのだ。

戴宗《たいそう》から、飛脚をやる者を二人、借りていた。かつては囚人で、江州《ごうしゅう》の牢《ろう》にいたのだが、刑期を終えて、飛脚商売に入ったのである。志とは無縁な、ただ自分のために働こうとする者を選んで貰《もら》った。銭を払えば、どこへでも行く。人を捜し出したり、噂《うわさ》を聞きつけたりすることは、無難にこなす。

盧俊義は、宿を取って魯智深を待っていた。

「林冲《りんちゅう》のことがあってから、開封府《かいほうふ》では花和尚《かおしょう》はお尋ね者だからな。しかも、容姿が目立って、間違えようがない」

「林冲の前に、王進《おうしん》という男のことがあるのだ、盧俊義殿」

「禁軍《きんぐん》武術師範で天下一と言われていたが、京兆府《けいちょうふ》（長安《ちょうあん》）の呂栄《りょえい》将軍の叛乱《はんらん》に連座し、開封府を逃亡したあの王進だな」

「呂栄将軍の叛乱にしろ、真実はわからん。王進について言えば、およそ叛乱などとは縁のない男だった」

「しかし、会いたいのだな」

「心にかかる。そういう男はいるものだ。ここで、情報を受け取れるようになって、助かっている。でなければ、鄆城《うんじょう》を回らなければならなかったところだ」

「これは路銀だ、魯智深」

盧俊義が、懐《ふところ》から包みを出した。銀百両はありそうだった。

「多すぎるな、路銀にしては」

「工作のための銭、と思ってくれ。これまでのように言葉だけでなく、銭がものを言うこともあるのだ。塩の道から入ってきて、蓄えられているものの中から、出ている」

「ありがたい」

銭があれば、と思ったことが何度もあった。戴宗の部下だけでも、銭の分だけ働くのだ。魯智深の視界が、ずっと広くなる。

「宋江《そうこう》殿もそうだろうがな、魯智深。英雄というのは、細かいことはなにも考えない。

銭など、必要な時にはどこからか入ってくる、と晁蓋《ちょうがい》殿も考えている」

「それで、盧俊義殿の苦労か」

「なんの。魯智深の苦労を見ていると、なにほどのこともないな。何年も、諸国を回り続けていたのであろう」

人を捜すのが、自分の仕事だと思ってきた。全国行脚《あんぎゃ》の僧などと較《くら》べると、まだそれほど歩いたとも言えない。それでも、盗賊から役人まで、顔見知りになった者は数知れない。これは、と思う人間にも、何人も会った。

「それで、私のところに、魯智深に繫《つな》いでくれという情報らしきものが来ているのだが」

盧俊義が差し出したのは、二通の手紙だった。二人に王進の行方を捜させ、手紙を届けさせたのである。二人とも、見つけることはできたようだった。

「延安府《えんあんふ》へ行き、それから坊州子午山《ぼうしゅうしごさん》か」

「山深いな」

「そういうところで、ひっそり暮すのが、あの男らしいとも言える」

酒が運ばれてきた。北京大名府にいる時はいつもそうなのか、燕青《えんせい》は付いていなかった。盧俊義と二人でむかい合って飲むのは、はじめてのことになる。

「しかし、面白い男がいるな。あの飛脚の大将だ」

「戴宗のことか。いまのところ、牢役人をやってくれていると、都合がいい」

「宋江殿のもとに集まっている男たちは、みんな面白そうだ。青州《せいしゅう》にいる花栄《かえい》とかな。あんな、いかにも軍人らしい軍人が、心を傾けてしまう宋江という人も面白い。それは、はじめて宋江殿に会った時、かぎりないやさしさと大きさのようなものを感じた。それは、人物を見極めようと思っていた私に、すべてを忘れさせてしまうほど圧倒的なものであった」

「俺は打たれたな、晁蓋殿に。ただ打たれた」

「そんなものか。二人とも、凡人にはないものを持っている。そういうことだな」

「凡人は、ただただ忙しく駈け回るしかない」

「言えているな、それは」

盧俊義が、声をあげて笑った。

うまい酒だった。酒がいいだけではなく、喋《しゃべ》る相手もいいのだろう、と魯智深は思った。

「出立は、明日か、魯智深？」

「そうだ。盧俊義殿に、手紙をひとつ預かって貰いたい。飛脚のひとりが取りに来る」

「わかった。銭を渡しておけばよいな」

放浪中の武松《ぶしょう》をつかまえたかった。旅に出たのは宋江に言われてだが、そろそろ鄆城に戻った方がいいのかもしれない。

「西へ行くのだな、魯智深？」

「ああ、山中を」

「あえて、街道を選ばぬのか？」

「山中で出会うものも、実はいろいろあるのだ。これまでも野宿の方が多い旅をしてきたしな。俺には合っているようだ」

それから、阮《げん》三兄弟の話などをした。母親に会ったのはついこの間だったが、いまは寝こんでしまい、阮小七《げんしょうしち》がそばについているという。

「豹子頭《ひょうしとう》林冲は、もう滄州《そうしゅう》の牢か」

「脱獄したら、また柴進《さいしん》の手を借りる」

「会ってみたいものだ。天下第一の槍《やり》というではないか」

「槍だけなら、王進とも互角であろうな」

護送の間に体力を回復させたといっても、牢の生活は林冲にはつらいだろう。開封府の地下の牢から、生きて出てきたのは稀《まれ》だという。おまけに二十回の棒叩《たた》きの刑を受け、まともな食事もしないまま、護送された。

林冲は、いまはつらい方がいいのかもしれない。林冲自身は否定したが、途中から妻の張藍《ちょうらん》を愛しはじめていたことを、魯智深は気づいていた。その妻が、ひどい死に方をしたらしい。

翌朝早く、魯智深は北京大名府を出て、西へむかった。

半日も歩くと、もう山である。

山はまた、平地とは違う恵みを与えてくれるので、集落も少なくない。そういうところで、人の営みを見るのが、魯智深は好きだった。海のそばで育った、ということがあるのかもしれない。時々、はっとするほど新鮮なものに出会った。

山に入って三日経《た》ったころだった。けものが自分を狙《ねら》っているような、おかしな感じに魯智深は襲われた。

それがなにかあえて確かめることはせず、魯智深は歩き続けた。

四日目の野宿。魯智深は、持っていた牛の干し肉を、焚火《たきび》で炙《あぶ》った。脂のところが溶けて、いい匂いが漂いはじめた。火の中に滴った脂が、じゅっという気持のいい音をたてる。

いきなりだった。背後から斬《き》りつけてきた。それをかわし、手首を取って、魯智深はそばの大木の幹に叩きつけた。まだ若い男のようだ。完全に気を失っていた。

炙っていた肉のむきを変え、薪《たきぎ》を新しく足した。仰むけで倒れている男の恰好《かっこう》は、きちんとしていながら、奇妙なものだった。上衣は粗末だが、袴《はかま》は上等で、靴も革の見事なものだった。腰に巻きつけた帯は、ほとんど襤褸《ぼろ》としか見えない。追い剝《は》ぎで得たものを、そのまま身につけたのだろう。袴や靴を奪われたものは、上体を斬られるかして、上衣だけ血で汚したに違いない。しかし追い剝ぎにしては、斬撃《ざんげき》はすさまじいものだった。

男が息を吹き返したのに、魯智深は気づいた。狡猾《こうかつ》な男だ。気を失ったままのふりをして、こちらを窺《うかが》っている。魯智深は、炙っている肉に軽く塩をふりかけた。男がいきなり跳ね起きると、飛びかかってきた。けもののような敏捷《びんしょう》さだった。魯智深は、男の胴に腕を回すと、そのまま立ちあがった。男の躰《からだ》を、頭上に差しあげる。それから、地面に叩きつけた。二度、三度と同じことをくり返した。気絶した男を引き起こし、活を入れる。男が、眼を開いた。拳《こぶし》で二、三度顔を打つと、男は涙を流しはじめた。

魯智深は、男の帯を解き、後手に縛りあげた。

「邪悪な眼をしておるな。これまで、よほどの悪事を働いてきたのだろう」

人を殺すことに、ためらいがない。邪悪というよりも、けものに近いような気がした。男を縛りあげはしたが、どうしようか魯智深はまだ考えていなかった。

肉が、いい具合に焼きあがっている。

魯智深は、焚火に薪を足して炎を大きくし、肉に食らいついた。

男の躰が、跳ねるように動いた。まだ、涙は流したままだ。もうひと口、魯智深が肉に食らいつくと、男はまた地面から尻を跳ねあげさせた。

「なんだ、おまえ。腹が減っていたのか」

男が、眼を伏せた。

「この肉が、欲しいのであろう？」

男が、顔を横にむける。魯智深は、男の鼻さきに肉を突きつけた。男の口が、いきなり飛んできた。それは口だけが飛んできたという感じで、その口をかわしながら、魯智深は思わず笑い声をあげた。

二日以上、人家はなかった。辿《たど》っている道も、頼りないほど細い。

「おまえ、山に迷いこんだのか。そこを俺が歩いていたので、襲ったのだな」

男の眼が、魯智深の手もとの肉を見つめていた。

「ずいぶんと追い剝ぎもやったようだな。人も殺している。察するところ、役人に追われて山に逃げこみ、道に迷ったようだな」

魯智深は、また肉に食らいつき、ことさらゆっくりと咀嚼《そしやく》した。

「殺せ、早く」

男が、はじめて言葉を発した。

「ほう、けものの餌《えさ》になって、その躰を食わせたいのか」

男は唇を噛《か》みしめ、全身をふるわせている。

「この肉が欲しいなら、少し食わせてやってもいいぞ」

「ほんとうか？」

「だが、高い。こんな山の中だ。安く買えるとは思うな」

「銭などない。あれば、おまえなど襲うものか」

「銭では買えんな。おまえは、俺の家来になるのだ。俺がなにを言おうと、黙って従う。死ねと言えば、死ぬ」

「なんだってやってやる。だからその肉をくれ」

「わかった。うまいぞ。その前に、やることをやって貰おう。なんでもやると言った。死んで貰おうではないか」

「なに？」

「俺の眼の前で死んでみせてくれたら、この肉をやろう。死んだあとでこの肉を食らうのは、なかなか難しいことであろうがな」

「きさま、殺してやる」

「間違えるな。おまえに死ねと言っているのだぞ。それに、おまえの腕では絶対に俺を殺せぬ。自分の恰好を見てみろ」

男がうつむき、また涙を流しはじめた。魯智深は、放り出されたままになっている男の剣で、肉を二つに切り分けた。男を縛りあげた帯も解いてやる。

「名は？」

「鮑旭《ほうきょく》。みんな俺を喪門神《そうもんしん》と呼んで恐れていた」

「どこがこわいのだろうな、おまえのような猿が」

「俺がその気になれば」

そこまで言って、鮑旭はうつむいた。

「食え、鮑旭。そして、食ったら俺の家来だ。これはなかなかにつらいぞ。よく考えてから食うのだ」

鮑旭が、肉に手をのばしてきた。食らいつくと、またたくまにひと塊《かたまり》の肉を平らげた。魯智深は、残りの肉も差し出した。

「おまえの分は？」

鮑旭が言った。邪悪だが、相手のことを考える心まで失ってはいないようだ。

「俺は、きのうも食った。それに、焼いてはいないが、肉はまだあるのだ。遠慮せずに食え。ただ、甘やかすのはこれきりだ」

言い終る前に、鮑旭は肉に食らいついた。脂で、口のまわりや指さきが、てかてかと光っていた。よほど腹が減っていたようだ。瓢簞《ひょうたん》の水も投げてやった。

食い終ると、鮑旭は丹念に脂のついた指を舐《な》め、袖《そで》で口のまわりを拭《ぬぐ》った。

魯智深は、横になり眼を閉じた。眠ってはいなかった。しばらくすると、鮑旭の大きな鼾《いびき》が聞えてきた。

二

鮑旭の躰を押さえつけ、薪にするために集めた木の枝で打ち据えた。一本が折れると、次の一本で打つ。三、四十回も打つと、鮑旭は血反吐《ちへど》を吐いて動かなくなった。

一緒に旅をはじめて、というより、勝手に鮑旭がついてくるようになって、五日目の夜である。消えてしまえと言っても、家来になれと言ったのはあんただ、と鮑旭は言い張った。確かにそうだったので、ついてくるままにしておいた。ただ鮑旭は油断のならない眼をしていた。

そして、魯智深が寝ている間に、荷の包みに手を出そうとしたのだ。途中の集落で、いくらかの食物を求めた。その時、包みの中にかなりの金が入っていることを知ったのだろう。

鮑旭を叩きのめすと、魯智深はまた焚火のそばに横になり、眠った。時々、鮑旭のあげる呻《うめ》き声が聞えていた。

翌朝も、魯智深はいつもと同じように出発した。すでに、子午山は近くなっている。

あと二日か三日というところだろう。

鮑旭は、這《は》うようにしてついてきた。

「盗むのを失敗したのは、俺の負けだ。殺されても、文句は言わねえ。しかし、あんたなんで俺を打ち据えるんだ」

背中に、呟《つぶや》くような声が追ってくる。それには、喘《あえ》ぎが入り混じっていた。

「盗めるものは、盗む。俺はそうやって生きてきた。失敗すれば、殺される。それで文句がなけりゃ、盗んでもいいんだよ」

鮑旭は、なぜか打ち据えられたことに、腹を立てているのだった。殺すのなら、文句はない。そう言い続けている。

「おまえ、親は？」

「いねえよ。いや、いなくなった。俺が子供のころ、役人が来て連れていった。それきり、帰ってこねえよ」

「なぜだ。おまえの両親は、なにをした？」

「わかるかよ、そんなこと。俺の家は、銭もない家だった。あんなのを、貧乏というんだ。小作をしていて、親父《おやじ》が陽の出から夕暮れまで、泥だらけで働いていたのは憶《おぼ》えている」

魯智深は、足を緩めた。

「いくつの時だった。おまえは、いくつの時からひとりになった」

「多分、八つだと思う」

魯智深が母に死なれてひとりになったのは、十二歳の時だった。

「盗んで失敗すれば、殺される。だから、盗んでいいんだよ。仕方がないもんな。盗まなきゃ、死んじまう。盗んでも、決して捕まらねえ。生き残れるのは、それだけだ」

「働こうとは思わなかったのか、鮑旭？」

「字も読めねえ。気がついたら、流れ者になっていたし、役人は俺のことを喪門神と呼ぶ。意味はわからねえが」

「疫病神《やくびょうがみ》かな。それもちょっと違うか。近づかない方がいいようなやつ、ということだ」

「俺は、殺されてもいいから、盗みをしている。それの、どこが悪い」

「人も、殺したろう？」

「逆らうやつは」

「人間が、やってはならぬことだ」

「人間じゃなくてもいい。人間だったら、誰かが食いものをくれるのか。俺は暴れ者で、誰も近づいてこねえ。食いものをくれたのは、あとにも先にも、あんただけだ」

「仲間がいたことは？」

「時々。だけど、しばらくするとみんなで俺を殺そうとする」

「なるほどな」

魯智深が声をあげて笑うと、鮑旭は怪訝《けげん》な表情をした。

その日の夜は、黙って食べ物を分け合った。鮑旭は血の混じった小便をしていたが、それも薄くなったようだ。

翌日も、丸一日歩き続けた。

「おまえは、俺の家来だ。二度も盗みに失敗したのに、許してやった。命を二つ貸してあるようなものだ。この勘定、わかるな？」

「ああ」

鮑旭はうつむいていた。

「死ぬまで、俺の言うことを聞く。それを二度やらねばならん」

うつむいたまま、鮑旭が頷《うなず》く。

「約束しろ。どんなことでも、俺の言うことを聞くと。約束を破るのがどういうことか、いずれおまえも学ぶ」

「死ぬのか？」

「いや、自分を恥じるのだ。それは、死ぬことより苦しい、と俺は思っている」

それだけだった。陽が落ちると野宿をし、わずかな食い物を分け合った。

山が深い。夜の静けさは、心の中のけものの存在を際立たせる。みんな生きているのだ。鮑旭の寝息を聞きながら、魯智深はなんとなくそう思った。月の光が、冷たく魯智深の手を照らし出していた。この手で、なにほどのことがなし得るのか。月の光が照らし出すすべてのものの中で、ほんのわずかでも、ここにあるという価値を持つものなのか。無力な手なのか。

旅に明け暮れてきた。なにかが進んだようでもあり、なにも変らなかったという気もする。

鮑旭が、苦しそうに身じろぎをした。よく生き延びたものだ。そう思った。八歳からひとりだという。自分がひとりになったのは十二歳で、剃髪《ていはつ》して寺の世話になったのだ。寺がなければ、自分も盗みで生きていこうとしたのだろうか。

魯智深は焚火のそばで横になり、冷たい光を放つ月から眼をそらした。

翌朝、歩きはじめるとすぐに森が途切れ、視界が開けた場所に出た。谷川が流れている。対岸に、平坦《へいたん》な場所があり、小さな家がひとつだけあった。

魯智深は、森を出たところで足を止めた。王進が、棒を振っている。その気が、森まで圧していた。鮑旭は、怯《おび》えたように躰を低くしている。

肚《はら》の底にまで、気が響いてきた。

「行くぞ」

言って、魯智深は歩きはじめた。谷川までは岩場で、そこを下り、水際に立った。山中にしては、流れが緩やかだった。平坦な場所がしばらく続いているのだろう。冷たい水を渉《わた》り、また岩場をひとしきり登った。

近づいてくる二人に、王進はとうに気づいていたようだ。棒を振っている時は上半身裸だったが、きちんと上衣を着て、帯も巻いていた。

「山伝いに来られたのか、魯智深殿は？」

「街道にないものに、山では出会ったりもしますので」

「粗末な家だが、入られるとよい。いま、母が茶を淹《い》れます。朝食はそれからということで」

王進の表情は穏やかだった。

魯智深は、導かれるまま、外が見渡せる一室に入った。隅に、書物が積みあげてある。家の前の平地は畠《はたけ》で、畝《うね》にはすでに緑色の芽が芽吹いていた。

「まさに、晴耕雨読ですな」

「手紙は受け取った。林冲のことは、はじめて知った。いまは、滄州の牢なのですか？」

「いずれ、脱《ぬ》け出して参ります」

「私のことがもとで、そんなことになってしまったか。なによりも、奥方のことが気の毒でならぬ。心が痛んだなどと、気安く言うこともできぬ」

「こんなことがあっていいのかという叫びも、この国ではすでにむなしい、という気がします。しかし、林冲はよく生き延びてくれました」

母親が、茶を運んできた。質素だが、惨《みじ》めな暮しではない、と魯智深は感じた。むしろ、質素なものの中に、言葉では表現しにくい豊かさが漂っているような気がする。

「魯智深殿の手紙も、くり返し読んだ。宋江という方が語られたものを、魯智深殿が書きとめた、という書も読んだ。志は、敬服に値する」

「私は、自分が何者か、王進殿に知って貰いたい、と思ったのです。その願いが、最も大きかった。この山から、王進殿を引っ張り出せる、とも思ってはいません」

「私は考えた。考え抜いて、自分の狭さがよくわかった。しかし、それを無理に変えることもできない。私の武術は、世直しというものに馴染《なじ》まない。いくらかの苦さとともに、そう自覚した」

「もう、お誘いはしません。もともと、誘えると思ったわけでもないのです」

魯智深は、茶に手をのばした。

「しかし、いいお住いだ。この静けさが、いささか羨《うらや》ましい、という気もします」

「延安府の知り人が、ここを世話してくれた。幸い、母も気に入ってくれた。書物なども、その人が運んでくれたのだ。朝、夕は棒を振り、昼は農耕をする。私は、澄みわたっている。しかし正直、これでいいのかと思うこともある」

朝餉《あさげ》の仕度も、母親がやるようだった。なにかを刻む音が聞えた。

「御母堂は、おいくつになられます？」

「六十六。大きな病《やまい》はないし、ここの水が合っているようでもある」

鮑旭は、身の置きどころもない様子で、じっとうずくまるようにしていた。茶にも手をのばさない。けものの本能で、王進をこわがっているとも思えた。

「これは、山中で知り合った者で、鮑旭と申します」

「冷める前に、茶を飲まれるとよい」

「茶など、飲んだことはないのですよ、この男は」

「ほう」

「礼も、知りません」

鮑旭は、相変らずじっと動かない。

「王進殿は、自分の武術は世直しに馴染まない、と言われましたな」

「あまりに、内にむかいすぎているのだ、私の武術は。わかりにくい言い方で済まぬが」

「いや、わかります」

王進が求めているのは、多分、境地とも呼ぶべきものなのだろう。勝敗や、強弱とも無縁である。だからこそ、自分は魅《ひ》かれるのだ、と魯智深は思った。

「世直しに馴染まないのはわかりますが、人を立ち直らせるのには、実によく馴染む、と私は思っております」

「人か」

「でなければ、王進殿の武術に意味はありません。失礼な申しようですが」

「いや、確かにそうだろう」

「王進殿。鮑旭を預かっていただけませんか。そのつもりでここへ伴ったわけではないのですが、お会いしてそういう気持になりました」

「荒《すさ》んでいる、というのとも少し違うようだが」

「八歳で両親を失い、盗みと人殺しで生き延びてきたようです。それが悪いという自覚もないのです」

「では、つらいと思って生きてきたわけでもないのだな」

「けものですな、この国が生み落とした。字も読めません」

「どんなふうに、預かればいいのだ？」

「いかようにも。王進殿に預けることで、私はこの男を、もう一度母の胎内に戻したいのです。そのあと、どんなふうに生まれ直すのかは、この男次第でしょう」

「なるほど。もう一度、胎内に戻すか」

王進が、口もとを綻《ほころ》ばせた。それが返事だ、と魯智深は解釈した。

「鮑旭。おまえを、この方に預ける。なにを教えてくださるのかもわからぬが、おまえはここで暮せ」

「それは」

「文句は言わせん。約束だと言ったろう。それを破ることは、恥ずかしいことだと」

「俺が、ここで暮せばいいのか？」

「そうだ。命じられたことは、なんでもやれ。死ねと言われれば、死ぬのだ。王進殿。この男が寝るのは、軒下で充分です。餌代は置いていきますので、飢えて死なないようにだけは」

盧俊義から渡された路銀の一部を、魯智深は王進の前に置いた。

「なにをされる、魯智深殿」

「餌代です。銭と無縁で暮されてはなりません。それは人の営みを忘れることでもあるのですから」

「わかった。しかし、多すぎるな」

「ならば、また誰かを送りましょう。王進殿の武術は、史進《ししん》にだけ伝えればいいというものではありません」

「ほう、史進も御存知か、魯智深殿は？」

「これから史家村《しかそん》へ行き、会ってみるつもりでいます」

「史進が、私のように狭い武術家になるのではないかと、危惧《きぐ》していた。魯智深殿と会えば、いくらかは変るかもしれぬ」

「王進殿と較べて、私は生臭《なまぐさ》すぎますが。ほんとうは、王進殿が出家された方がいいぐらいです」

王進が、声をあげて笑った。

朝餉の用意ができたようだ。母親が声をかけてきた。

「鮑旭、盗まなくても、めしが食えるぞ」

魯智深が言っても、鮑旭はうつむいたままだった。

三

京兆府に出た。

意外な人物に出会《でくわ》して、魯智深は声をあげた。

晁蓋である。供を二騎連れていた。そのひとりは、阮小五《げんしょうご》だった。

「おう、魯智深か。滄州にいたと聞いたが、もう京兆府とはな。さすがだ」

「晁蓋殿も、このようなところまで」

魯智深は、馬を降りた晁蓋とむき合って立った。宋江よりは大きいが、魯智深よりは小さい。それでも、魯智深はやはり圧倒されるような気分になった。

「呉用《ごよう》という。東渓村《とうけいそん》で、私塾を開いている。阮小五は、知っているそうだな」

魯智深は呉用に挨拶《あいさつ》した。阮小五はうつむき、笑みを嚙み殺している。

「どこかで、酒を飲もう、魯智深」

「私はこれから、武松と申す者に会わねばならぬのです」

「武松か。宋江から聞いている。会ってみたいな、私も」

「ならば、宿を教えてください。夜になると思いますが、私が武松をそこへ伴います」

「よかろう。私もそれまでに、京兆府での所用を済ませておこう」

呉用が、旅館の名を言った。

馬に跨《また》がり、去っていく晁蓋の後姿を、魯智深はしばらく見送った。惚《ほ》れ惚《ぼ》れとするような背中だった。

武松とは、城外の寺で会うことになっていた。武松は西京河南府《せいけいかなんふ》（洛陽《らくよう》）の近辺にいたはずで、手紙は読んだだろう。

寺で一刻（三十分）ほど待っただけで、小さな荷を背にくりつけた武松が現われた。

武松のいかつい顔から、笑みがこぼれ出てくる。

「変らんな、兄者《あにじゃ》のその頭」

手をのばし、撫《な》でたそうな仕草をし、武松はまた笑った。

「宋江殿は、お元気なのだろうな？」

「晁蓋という人と、手を組んだ。それで、さまざまなものが、大きく拡がる。おまえも宋江殿のそばにいた方がいいかもしれない、と思う。それについて、話し合いたいのだ」

「一度、故郷へ帰るつもりだった。それからでは、遅いかな」

「いや。それがわかっていればいいのだ。各地の盗賊にも、だいぶ名を売ったようだし」

「骨のあるやつは、少ない。ただの盗《ぬす》っ人《と》がほとんどで、役人から逃げようとは考えても、逆らう気などない」

寺の参道の、茶店に入った。

魯智深は、晁蓋のことを喋った。特に塩の道については、詳しく語った。戦《いくさ》になれば、それは生命の道にもなる。

「晁蓋という男、信用できるのか？」

「宋江殿が、宿命的な友だと言われているのだぞ」

「しかし兄者。宋江殿は、人を信じやすい人ではないか。そこがいいところなのだが」

「信用できるかどうか、おまえがその眼で確かめてみるといい。いま、京兆府に来ている」

「ほう」

「今夜は、晁蓋殿と酒になるだろう。いまのうちに、おまえが会ってきた人間について聞いておこう」

武松は、荷を背負ったこの恰好で各地を歩き回り、特に盗賊の動静を調べていた。役人に反抗して盗賊になった者もいて、それは政府との戦では役に立つ可能性もあるのだ。盗賊は各地に散在していて、大規模なものになると、山に寨《さい》（砦《とりで》）を築いていたりする。それらと好誼《よしみ》を通じておくのは、魯智深や武松の仕事だった。役人である宋江は、あまり鄆城から動くことができない。

宋江は、実にさまざまな人間を集めようとしていた。それは必ずしも、武に優れた者だけではない。計算の巧みな者、よく歩く者、駈ける者、なにかを作れる者、医師、馬の扱いのうまい者。

魯智深が知るかぎり、晁蓋もまた同じように動いていた。晁蓋にはまた、塩の道という大きなものもある。

それを考えると、二人がどういう戦を思い描いているのか、おぼろにだが見えてくる。一度や二度、州や政府の軍と闘って勝とうというのではないのだ。十年、二十年をかけて政府と闘い、それを打ち倒そうとしている。

だから魯智深は、ひたすら動き回るのだ。武松にも、歩き回らせているのだ。晁蓋は、保正《ほせい》という立場上、宋江より自由に動き回れる。やはり各地に、人の輪を拡げようとしているのだろう。

京兆府のあたりまで来ると、森らしい森は少なくなる。赤っぽい土の色が剝《む》き出しになったところが多く、風が吹くと土埃《つちぼこり》も立つ。

寺を出て、そういう土の上をしばらく歩き、京兆府の城内に入った。

呉用に教えられた旅館は、すぐに見つかった。

すでに晁蓋は、酒宴の用意をして待っていた。新しい顔がひとつ増えていた。

「裴宣《はいせん》と申します。京兆府の裁判所の孔目《こうもく》(書記官)をしています。晁蓋殿とは、二年前からの付き合いで」

役人らしくない顔つきだった。具足をつければ、そのまま歩兵の隊長という印象だった。酒の飲み方が、いっそうそれを助長している。

「似ているな、武松」

それぞれの紹介が終った時、晁蓋が武松を見つめて言った。

「いや、似ているなどと。兄者はこの通り大男でありますし、たとえ俺が剃髪しても」

「魯智深にではない。私にだ」

「晁蓋殿に?」

「私も若いころ、真直《まっす》ぐな思いを心に抱いて、それをどこに持っていけばいいのか、いつも苦しんだ」

「俺が」

「似ている。おまえが背負っているものは、かつて私が背負っていたものと同じだ、という気がする。あまり苦しむな、武松。いつか時は来る、と信じるのだ」

自分と同じように、各地を歩き回ることをはじめさせて、もう四年目になる。自分が苦しくないから、武松も苦しんでいないというのは、勝手な考えだったのかもしれない、と魯智深はふと思った。

「いつか、時は来るのですね？」

「そうだ、武松。それだけは信じていい」

「なぜです？」

「その時を作るのが、私たちだからだ」

武松がうつむき、考えこんでいた。やはり数年の歳月は苦しく、ほとんど無為と感じられたのだろう。自分のように、幼いころからひとりだったというのではない。武松には、故郷に家族もいる。

「宋江は、あれで厳しいところがある男だ。林冲を再び滄州の牢にやったのもそうだし、おまえに各地を行脚させているのも同じだ。そこからなにか摑《つか》んでこい、と言葉にして言ったりもしない」

「俺は、なにかを見続けてきました。この国の民の間にです。いや、聞いてきたのかな。呻きとか、声にならない声とか」

「それが、おまえを大きくしたはずだ、武松。人の声を、ただのさんざめきではなく、呻きとして聞けるようになった」

「遠い呻きです」

「それでいい。耳もとの呻きは、感情を逆立てる。遠い呻きは、心の底に響く。おまえが宋江のもとでなにをやってきたかは知らぬが、決して無駄になってはいないぞ。気持を挫《くじ》けさせるな」

武松は、うつむいていた。晁蓋はこんな喋り方もするのだ、と魯智深は思った。懐かしいような、微妙な響きのある口調だ。

「汴河《べんが》の往復はやめたのか、阮小五？」

魯智深は、むかいに座っている阮小五に言った。武松と晁蓋の話は、これぐらいでいいだろう、と思ったのだ。

「俺はやめたが、船は動いているさ。それより魯智深、俺の兄貴や弟に会ったそうだな？」

「偶然、宿を請うたところが、おまえの御母堂が暮しておられる家だった。阮小二《げんしょうじ》は名を聞いただけで、会ったのは阮小七の方だ」

「暴れ者の弟でな」

「しかし、心根はしっかりしていて、やさしい。それでいいではないか。坊主の俺が、そう言っているのだ」

「まあ、弟も大人にはなってきた」

阮小五が言うと、晁蓋が声をあげて笑った。

「ここに、大人などひとりもいないぞ。大人の智恵《ちえ》で、いまの世は変えられん。みんな、子供であらねばならん。子供の眼で、正しいか悪か、見極めるのだ。この呉用など私塾の先生だが、子供の眼がどれだけ正しいか、よく知っている」

「つまり、当たり前のことが、当たり前ではない。それがわかるのが、子供ということだな。私はよく、それを教えられる」

呉用のもの言いは、いかにも塾の教師という感じだった。うなだれていた武松も、焼いて甘辛いたれをつけた羊の肉に、食らいつきはじめた。京兆府の料理は、どちらかというと開封府などより味が濃い。

武松が、魯智深を見て照れたように笑った。夜が更けていく。久しぶりにうまい酒が飲めそうだ、と魯智深は思った。

四

土に鍬《くわ》を入れることなど、鮑旭にははじめてのことだった。

毎朝、それをやらされた。一度、逃げようと考えたが、逃げるのは卑怯《ひきよう》なことだ、と考えただけで王進に言われた。卑怯という意味が、鮑旭にはよくわからなかった。ただ、王進が極端にそれを嫌っているのだ、ということはわかった。

食事は質素だったが、きちんと食わせては貰った。食える時に、食えるだけ腹に入れてしまうという生活と、ずいぶんと違った。腹が減ったが、減ったと思うころ食事になるのだ。

山に逃げこんでから、おかしなことばかりだ、と鮑旭は思った。

魯智深という、大男の坊主に会った。二度もぶちのめされたが、殺されはしなかった。それどころか、肉を半分に割ってくれ、それでも腹が満ちていないと知ると、自分の分までくれた。小さな村で手に入れた食い物も、必ず半分はわけてくれた。あれだけひどくぶちのめしておきながら、なぜ殺さずにそうするのか、鮑旭には理解できなかった。

王進の家でも、同じだった。毎日、三度の食事が、当たり前のように用意されている。はじめ、自分のものはないのだ、と思っていた。王進の母が厳しい声をあげた時は、食いものを見せるだけ見せて苦しめるつもりかもしれないと疑った。しかし、肉を手摑みで食おうとしたことを、叱《しか》られただけだった。

それ以後も、何度も王進の母には叱られたが、なぜかそれがいやではなかった。

王進は、ただこわかった。自分より強いのだということが、じっとしていてもわかった。王進に鍬を持てと言われればそうするしかなかったし、土の中の石を除けと言われれば、一日じゅう地面に這いつくばっていた。

逃げることも、考えなかった。考えるだけで、王進にはわかってしまうのだ。

「鮑旭、そこの棒を執《と》れ」

暮しはじめて十日近く経った時、王進に言われた。王進も、棒を持っている。いよいよ、打ちのめされるのだ、と鮑旭は思った。

「どこからでもいい。私に打ちかかってきてみろ」

王進に言われ、鮑旭は正面から打ちかかった。その時、王進はもういなかった。何度打ちかかっても、横に、後ろにいるのだ。棒術など、習ったことはない。子供のころ、棒を持って喧嘩《けんか》をしたのがはじまりだった。負けそうになったこともあるが、とっさに石を投げたり、組みついたりして、なんとか負けずに済んだ。

「なかなかやるではないか。実戦だけで身につけたという棒術だな」

鮑旭は、息があがりはじめていた。王進は棒を低く構えたまま、平然としている。かっとして、鮑旭は石を摑んで投げた。腹に衝撃があった。鮑旭が投げた石を、王進が棒で打ち返したのだ。うずくまったまま、鮑旭は起きたことが信じられずにいた。王進の棒は、ほんのわずかしか動かなかったのだ。

「いまは、棒の稽古《けいこ》だ、鮑旭。石を投げる稽古ではない。立て。立って、私に打ちかかってこい」

打ちのめされるのではなく、稽古をつけられているのだということが、鮑旭にもようやく理解できた。

棒を執り直し、打ちこんでいく。大きくは振らず、小刻みに打った。やはり、ことごとくかわされ、鮑旭は両膝《ひざ》を地についた。

「もっと強くなりたいのか、鮑旭？」

「なりてえ」

「どれほどに？」

「あの坊主を、ぶちのめしてやれるぐらいに」

「いまの腕では、十年かかっても、まず無理だろうな」

「あんたの技を、教えてくれ」

「それだけで、魯智深には勝てぬ。どれだけ技を磨いても、人間として勝てぬ。もっとも、魯智深はおまえのことをけものだと言っていたが」

「俺は、けものではない」

「そうだな。確かに人間のかたちをしている」

鮑旭は、またかっとして棒を振り回した。ことごとく、かわされた。王進が、ほんとうに強いのかどうか、鮑旭にはわからなくなった。もしかすると、かわすのがうまいだけではないのか。

「見苦しい。息を整えろ、鮑旭」

肩で息をしている自分に、鮑旭ははじめて気づいた。しばらく、鮑旭は立ち尽していた。ようやく、息が楽になってくる。

「私が、いまからおまえを打つ。はじめは左肩、次に右肩、そして胸の真中、鳩尾《みぞおち》。どんなことをしてもいい、かわしてみろ」

左肩を突くだと。鮑旭は、またかっと頭に血を昇らせた。突くと言われて、黙って突かれる馬鹿はいない。

「ほう。怒ったな、鮑旭。悪いことではないぞ。しかし、いまのおまえの左肩を突くのはたやすい。くやしいなら、かわしてみろ」

鮑旭は棒を構えた。左肩どころか、躰のどこにも触れさせはしない。

王進が、低く棒を構えたまま、一歩踏み出してきた。一歩ではなく、すぐそばまで近寄られた気がした。棒の先が、かすかに動いた。次の瞬間、左肩を突かれて、鮑旭の躰は飛んでいた。

「立て。次は右肩、胸、鳩尾。その順で行く。かわせないようなら、おまえは自分が弱いということを認めろ」

右肩を突かれた。胸も、鳩尾も。

鮑旭はうずくまり、息を整えるために、しばらくじっとしていた。自分が泣いていることに、はじめて気づいた。涙は、顎《あご》の先から乾いた地面に滴っている。

「強くなりたいか、鮑旭？」

鮑旭は、無言で頷いた。

「なぜだ？」

「俺は、男だから」

「男か、おまえは。魯智深が言ったように、ただのけものの雄ではないのか？」

「男に、なりたい」

肚の底から、声が出ていた。男になりたい。ほとんど、叫びに近かった。

「わかった。いまから、おまえがやるべきことを言う。朝食を終えたら、農耕に励め。そこの森を切り拓《ひら》いて、もう少し広い畠を作りたい。夕食のあと二刻、母上から字を習え。ほどほどに字が読めるようになったら、私と一緒に書見だ。書を読んで、人間になるところから、おまえははじめるのだ。できるか？」

「わかった」

肩に、棒が飛んできた。全身が痺《しび》れたようになり、鮑旭はしばらく動けずにいた。

「わかりました、と言うのだ。おまえには、学ぶべきことが山ほどある。母上は懇切《こんせつ》に教えられるであろうが、私は容赦《ようしゃ》をせぬ。間違ったことがあれば、打ち据えるぞ」

「俺は」

また肩に棒が食いこんできた。

「私は、と言うのだ、鮑旭。俺であったおまえは、いまここで捨てろ」

「私、と言うのか？」

また、肩に棒が来た。

「言うのですか。そういう言葉遣いを覚えろ。字を覚えるのに時がかかるのは構わぬが、言葉は、いまこの時から改めよ」

「わかった」

また棒だった。はい、と言え、という王進の声が聞えた。はい、と鮑旭は言った。

「よし、畠にする土の中から、石を拾いあげて除け。夕食の前、一刻だけ棒の稽古をつけてやる」

鮑旭は、土の上に這いつくばった。手で土を掘り、ひとつひとつ石を摑み出していく。

「そんなやり方では駄目だ。篩《ふるい》代りの籠《かご》を竹で作った。溝を掘り、篩にかけた土でそこを埋めていく。残った石は別の籠に集めておいて、谷川に捨てる」

溝を、掘り続けた。膝の深さまでで、幅は一丈（二・二メートル）ほど、長さは二十丈である。夕刻までかけて、二人でそれを掘りあげた。

それからの一刻の棒の稽古は、死ぬような苦しみだった。王進に疲れた様子はない。棒を構えた鮑旭の、隙《すき》のあるところを容赦なく打ちこんでくる。必死だった。痛みから逃れるために、必死だった。それが終ると、谷川から引いた水のところで、躰を洗った。

「つらいか、鮑旭？」

ああ、と言おうとして、はい、と言い直した。米と、わずかな干し肉と、山菜の食事が待っていた。うまい、と鮑旭は感じた。これほどうまいものを食ったのは、はじめてだ、という気がする。王進の母が、自分の分の干し肉も鮑旭にくれた。どうしていいか、わからなかった。

「おまえは若いのだから、私よりお腹がすくに決まっている。私は、肉などもう躰があまり求めないのです。だから、遠慮なくお食べ」

母が言い、王進はただ微笑《ほほえ》んでいるだけだった。不意に、鮑旭は涙が溢《あふ》れ出てくるのを感じた。卓に、一滴二滴と落ちてくる。今日、二度目の涙だ、と鮑旭は思った。この十年、涙を流したことはなかった。

「この子は、涙を流せるのですよ、王進。それも、わずかばかりの干し肉に。決して悪い子ではない。いままで、そういう愛情の中で育ってこなかった、というだけのことです」

「棒を執った時は、まだけものです」

「人を、武術だけで判断するのは、おまえの大きな欠点です。教えるものが誰もいなかったら、おまえも同じようなものでしょう」

「はい、母上。申しあげてありました通り、この子に字を教えていただけますね。私は、武術を少しずつ教えます。それから、開墾《かいこん》をします。いまの畠を倍に拡げれば、さまざまなものを栽培できますし、この子にもいい経験になります」

「私は、じっくりと教えますよ、王進。この子には、教える方がまず忍耐を持たなければなりません」

「すべて、母上のお考え通りに」

自分のことが、語られている。それも、逆さに吊《つる》して切り刻もうとか、手足を切り落とそうとかいうことではない。なにか、もっと別のこと、いままでやったことがないことをやらせよう、と語られている。

食事のあと、鮑旭は自分の部屋の机の前に座らせられた。紙と筆が用意されている。硯《すずり》で墨《すみ》をするやり方を、まず教えられた。力任せではいけない。気持をこめながら、ゆっくりとすっていく。何度も、墨の持ち直しをさせられた。

それから、筆の持ち方。母は、紙に鮑旭と大きく書いた。

「これが、おまえの名前です。わかりますね。慌てることはない。ゆっくりと順序通りに、書いてみなさい」

自分の名前ぐらいは、見ればわかった。しかし書くとなると、ひとつを見てひとつを書きという感じで、なかなかうまくいかない。筆の持ち方は、決められた通りだ。

途中で、母の手が添えられた。皺《しわ》だらけで、痩《や》せた手だったが、鮑旭はなぜか全身が熱くなった。自分で書いているのか、母が書いているのか、よくわからなかった。しかし手を添えられると、見事に自分の名が紙に現われてくる。

手を添えられて三度書き、それからひとりで三度。何度も、くり返しそれをやった。自然に、手が動きを覚えてきた。

鮑旭と、自分でしっかり書けた時は、喜びと疲労が同時に襲ってきた。

「よく書けました、鮑旭。明日は、これをひとりでやってみるのです」

「はい、母上」

鮑旭が言うと、母は手を口に当てて笑い声をあげた。

「母上とは、また嬉《うれ》しいことを言う。祖母のような齢《とし》であるのに。そうか、王進がそう呼ぶので、あなたも呼んでいるのですね。いいでしょう、これから私を母上と呼びなさい」

「はい」

母は、硯や筆の洗い方を教えて、部屋を出ていった。

自分の部屋。そういうものがあるのも、鮑旭にとってははじめてのことだった。着る物も、洗濯したものが二組、きれいに畳んで部屋の隅に置いてある。

翌日も、溝を掘り、竹籠の篩にかけて、石のない土で埋めていった。苦痛ではなかった。なにかをやっているという気分が、どこかにある。それも、はじめて経験することだった。

昼食の時、鮑旭は指の先で何度か自分の名を書いてみた。しっかりと憶えていた。

「おまえが来てくれたおかげで、作業が捗《はかど》った。この分だと、種を播《ま》いて、今年じゅうに収穫ができる畠になる」

「はい」

「もう少しましなものを食わせてやりたい。畠で収穫があがったら、それを仔《こ》豚や鶏と交換しよう。それで卵が手に入るし、仔豚も大きく育てて売りに行くことができる」

「はい」

「物はそうして動き、人は物を動かしながら生きる。誰もがそうだ」

「わかる気がする。いや、します」

「慌てることはない。おまえは若く、時はまだ充分すぎるほどある」

午後の作業に入った。夕食後の、習字が鮑旭には愉《たの》しみに思えた。手を添えられることもなく、自分の名を書ける。

母は、ほめてくれるだろう。

天《てん》微《び》の星

一

暑い季節になった。

水の心配があったが、二日豪雨が続き、川の水量が増えた。水田への引水の心配は、まずなくなったようだ。

史進《ししん》は、農耕のことはよくわからなかった。好きだと思ったこともないのだ。しかし、水のことは気にして、しばしば川まで様子を見に行ったりした。

父の史礼《しれい》が、気にしていたことだったからである。

父は、ふた月前に突然死んだ。家で倒れ、二日間鼾《いびき》をかいて眠り続け、そのまま死んだのだ。死ぬ前の父と、史進は言葉を交わすことさえできなかった。

遅く生まれた子だった。おまけに、母は早く死んだ。かわいがって育てられたのだろう。必要なものはすべて、欲しいと思うものも大部分、与えられた。幼いころから、棒術の師匠にもつけてくれた。普通の親がする以上のことを、して貰《もら》った。しかし史進は、子がなすべき孝のひとつもしなかった。

水の心配がなくなったとわかると、史進はまた無為の日々に戻った。農耕の指図は、すべて従兄《いとこ》の史延《しえん》がやっている。保正《ほせい》になるべきなのは、自分ではなく史延だと思う。自分が保正になったところで、史延の補佐を受けるというより、すべて任せきりにするしかないのだ。一度、史延にその話をしたが、固辞された。史進がいるから、村人は安心して農耕に励めるというのだ。

盗賊が横行していた。しかし、史家村《しかそん》が襲われたことはなかった。盗賊は、明らかに史家村を避けているという。まだ王進《おうしん》がいたころ、少華山《しょうかざん》の賊の一味を、史進がひとりで打ち倒したことがある。それが、大袈裟《おおげさ》に伝えられているのだろう。

史進は、鬱々《うつうつ》としていた。半日は棒の稽古《けいこ》に費やすが、それ以外に、やることはなにも見つからないのだ。いくら棒の修練を積んだところで、それを生かす場所すらもない。

史延からは、毎日水田の報告を受ける。同じ報告だと思うが、ひと月前のものと較《くら》べると、微妙に違っている。なんという、緩慢さなのか。作物が芽吹き、成育し、実っていく。その時の流れは、史進とは別のところにある、という気がした。一瞬の勝負と、通じるところがひとつでもあるだろうか。

来客があったのは、照りつける日の午後だった。

魯智深《ろちしん》と名乗る、巨漢の坊主だった。挙措《きよそ》に隙《すき》がない。久しぶりに手応《てごた》えのある稽古相手が現われた、と史進は思った。

「実は、王進殿からの手紙を預かってきている」

客間に通した魯智深が、懐《ふところ》から手紙を出した。王進という名を聞いた瞬間、史進の心の中になにか熱いものが蘇《よみがえ》った。

「王先生は、いまどちらに？」

「子午山《しごさん》の山麓《さんろく》。御母堂とお二人で、晴耕雨読の日々を送っておられる」

「そうですか。御母堂も御健勝なのですね？」

「きわめて。山の暮しが、合っておられるようだ」

魯智深が差し出した手紙を、史進は読みはじめた。

武術が、武術としてだけで存在することに、意味はない。そう書かれていた。自分は、そういう武術しか身につけなかった。おまえは、武術を生かして、なにかをなすべきだ。それでこそ、苛烈《かれつ》な修行を積んだ甲斐《かい》がある。自分の武術にも、それではじめて意味があると言える。自分はいま山中で静穏な暮しを送っているが、おまえのことはよく思い出す。もし、鬱々とした日々を送っているなら、自分は武術を教えたことを後悔する。前を見て、世に出よ。そこで、身につけた武術がなんの役に立つか、考えてくれ。

そういうことが、書かれていた。二度、史進は読み返した。鬱々とした日々、という言葉が、眼に痛いような感じがする。

「子午山か」

史進は手紙を畳み、魯智深に頭を下げた。子午山に、いますぐ行きたいという思いがこみあげる。しかし王進は、自分を拒むだろう。教えることはもうなにもない、と冷たく言い放つだろう。

そういう師でもあった。

「ところで、お父上は御健勝か、と王進殿は気にしておられたが？」

「亡くなりました。ふた月ほど前のことになります。突然の病《やまい》で、話をする間もなく逝《ゆ》きました。残念ですが、これも人の定めであろうとようやく思えるようになりました」

「父上のことだけは、懐かしそうに語っておられた」

「もともと、王先生は父の客人だったのです」

史進は、下女に命じて酒と肴《さかな》を運ばせた。

「何日でも、ここに滞在してください、魯智深殿。田舎《いなか》のこととて、大した料理などはできませんが、肉ならばいつもたっぷり用意してあります」

客人があるのは、単純に嬉《うれ》しかった。王進の手紙を届けてくれたとなれば、いっそうである。

史進は、最上の客間を魯智深のために用意した。

各地を旅しているらしく、魯智深は全国の情勢に驚くほど詳しかった。開封府《かいほうふ》では帝《みかど》が風流を好み、そのための出費が厖大《ぼうだい》なものになっているらしい。盗賊が横行しているが、盗《ぬす》っ人《と》の集団と、州や県の役人に反抗する、二種類のものがあるらしい。役人に反抗する盗賊が、手を結びつつあるともいう。

魯智深の話のひとつひとつが、史進には新鮮だった。だから、夜毎《ごと》の酒が愉《たの》しみだった。武術についても、魯智深は広い知識を持っていた。自分でも錫杖《しゃくじょう》を遣うというが、数年前から持ち歩くのはやめたらしい。

「槍《やり》や棒では、かつての禁軍槍術《きんぐんそうじゅつ》師範の林冲《りんちゅう》が、まず第一の腕であろうな。槍ならば、あの王進殿ともほぼ互角に闘えた」

「そうですか。やはり世間は広い。そんなに強い人が、ほんとうにいるのですね。私は、王先生に打ちのめされた時、はじめて自分より強い人間がいるのだと知りました。それまでは、近隣の村のならず者などを相手にしていただけだったのです。それで、林冲という方はいま？」

「滄州《そうしゅう》の牢《ろう》だ」

「なにをやったのです？」

「なにも」

「それでなぜ、牢に入らなければならないのですか？」

「そういうものだ。王進殿が禁軍武術師範を追われ、叛乱《はんらん》の罪に問われそうになったのにも、これという理由はなかった。厳しいところがあり、それが嫌われた。禁軍の改革を声高に叫んだのも、嫌われた」

「好き嫌いの問題ではないと思いますが。それに、聞くかぎりでは、王先生の言われたことはすべて正しい」

「正しいから、嫌われるのさ。地方の州や県の役人は、腐っているだろう」

「それはもう、ひどいものです。大抵の場合、銭で話がつきますが」

「開封府は、もっとひどい。上から下まで腐っている。正しいことが、正しいがゆえに嫌われたりする。私は、この国を嘆くな。民の困窮を憂うるな。誰かが立ちあがり、糺《ただ》さなければならんとも思う。しかし、国が相手だ。たやすくはない」

魯智深の言う意味は、史進にはよくわかった。史家村でさえ、県や州の役人に賄賂《わいろ》を使わなければならないのだ。そうしないことには、信じられないような年貢を言ってくる。父はいつもそれに苦しんでいて、腹を立てる史進をよくたしなめたものだった。

「王先生は、禁軍改革のために、立ちあがろうとされたのですね？」

「禁軍だけ改革したところで、実はどうにもならん。民のために、この国を変えようというところまで、王進殿の視野は拡がらなかった。いや、拡げようとされなかった、と言うべきか。武術というものだけにこだわる自分を、苦い思いで自覚されてもいた」

「武術だけの人間になるな。それは、よく言われていたことです」

「王進殿は、純粋すぎると俺は思う。坊主が言うのもおかしな話だがな。だから、禁軍を内部から改革しようという方に行ってしまった」

「林冲という方も、そうだったのですか？」

「いや、国そのものを変えたい、と思っていた」

魯智深もそうなのだろう、と史進は思った。もしかすると、自分を誘うために訪ねてきたのかもしれない。

それはそれでよかった。史家村の保正でいる資格など、自分にはない。父親が保正だったから自分もというのでは、腐った県の役人どもと変りはないのだ。

それに、国を変えるためにはどうしても戦《いくさ》が必要で、戦場でなら鍛えあげた棒術は充分に役に立つ。

戦ということが、不意に史進の頭の中で現実味を持った。思うさま、棒で暴れてみたい。国を変えるためというより、その思いの方が先にあった。しかし、史進は魯智深になにも言わなかった。盗賊に身をやつした叛乱は多分あるのだろうが、ほんとうの戦はまだどこにも起きてはいないのだ。

魯智深が屋敷に滞在しはじめて六日目に、史延が蒼《あお》い顔をして駈けこんできた。

少華山に籠《こも》る盗賊が、史家村を通らせてくれと言ってきたのだ。

そんな断りを、入れるような連中ではないはずだ。やはり、以前に十数名の一味をひとりで打ち倒した史進を、気にしたのだと思うしかなかった。

少華山に盗賊が籠っていて、州の軍が何度か攻め、そのたびに追い返されていることは、史進も知っていた。なかなかやるではないかと思ったが、それ以上気にしたことはない。史家村を襲おうとはしなかったからだ。

「通すまい、ここは。一度通せば、それが当たり前になる。少華山からここを通って行くなら、多分、県の役所だろう。県の役人に睨《にら》まれるのも困る」

「しかし、強引に通ろうとしてきたら」

「止めるまでよ。村の人間で、若い者は集めておけ。なに、それほどの大事にはなるまいよ。手強《てごわ》いやつがいたら、俺が相手をしてやる」

「しかし、少華山には最近三人の首領が立ったという噂《うわさ》です。三人が三人とも、誰も逆らえぬほどの豪傑だと聞きましたが」

「気にするな。三人まとめて、俺が首を飛ばしてやる」

史延は不安そうだった。農耕については、あらゆることに詳しいが、幼いころから胆《きも》の太い男ではなかった。

「よいか。少華山の盗賊に味方しても、州の軍が攻めてきたら助けてもくれまい。ここは無理をしても、この史家村は県や州に逆らうつもりはないのだ、と役人どもに教えておいた方がいい」

「わかりました」

言った史延の顔は、強張《こわば》っていた。

争いを好まない史延は、少華山の盗賊の要求も聞き入れ、県や州の役人の言うことにも従う、というやり方を取るだろう。そこで苦しむのは、史家村の村人ということだ。それでも、史延は争いの方を選ばない。

「水田を見ていてくれ、史延。盗賊の方は、俺がうまく片付ける。村の若い者の力はいるが、命までもというのは、俺ひとりで充分だ」

史延が、小さく頷《うなず》いた。それ以上のことを、史進は言おうと思わなかった。

二

二日後、百名の盗賊が史家村にむかっている、という報告が入った。

「少華山の盗賊は、全部で何人なのだ？」

史進は、屋敷に集まっていた若者のひとりに聞いた。少華山に盗賊がいることは知っていたが、それ以上詳しく知ろうとはしてこなかったのだ。

「二百五十から三百と言われております」

「ふむ、いくらか減っているな」

かつては、四百から五百と言われていたのだ。史家村にもよくやってきたが、大抵は村人が団結して追い返していた。

史進がひとりで十数人を打ち倒してから、盗賊は史家村に近づかなくなり、史進も関心を失っていた。

「朱武《しゅぶ》、陳達《ちんたつ》、楊春《ようしゅん》の三人が新しく首領に昇り、人数は減っても精強になったと言われています、若旦那《だんな》」

「百名で、史家村を通れると思ったのか」

史家村の若者を集めると、三百にはなる。しかし、武器の扱い方など知らぬ者が大部分だった。軽く見たのかもしれない。

「ものものしいな、史進殿」

魯智深が出てきて言った。

「これは、史家村の闘いです。魯智深殿は、どこか安全なところにいてください。乱戦になると、眼が届かないこともあります」

「心配はいらぬ。これでも、多少の心得はある」

「そうですか」

史進は、それ以上はあえて言わなかった。魯智深が、相当な腕を持っていることは、話しているだけでもわかったのだ。

史進は、村の広場のところで、迎え撃つことにした。その方が、水田などを荒らされずに済む。村人を三つに分け、盗賊が進んでくる方向だけをあけた。

「百人を率いているのは、陳達です」

「首領のひとりが、出てきたということだな」

「点鋼鎗《てんこうそう》という、普通の鉄ではない刃鋼《はがね》でできている槍を遣うそうです」

盗賊の情報は、ある程度村にも入っているようだった。

史進は、馬を曳《ひ》き出した。気持の通った馬である。考えてみると、王進が去ってからは、馬だけを友としてきたような気がする。

「武術だけの男、か」

呟《つぶや》き、史進は馬に乗った。

盗賊の集団が見えてきた。統制のある動きをしている。これまでの盗賊とは、どこか違うようだ。馬乗は六騎。歩兵は二隊に分かれて整然と進んでくる。

「史家村の者たちに伝える」

馬乗のひとりが、駈け寄ってきて大声で言った。

「われらは、この村を襲いに来たのではない。華陰《かいん》県の役所に行こうとしているのだ。

この村は通過するだけである。無用な争いは、避けたいのだ」

「盗賊風情《ふぜい》が、言うではないか」

史進は、馬を前へ進めた。

「通過させれば、この村も少華山の一党と見なされかねない。だから、通すことはできん。少華山へ引き返せ」

「九紋竜《くもんりゅう》史進だな。どうしても、少華山と事を構えるというのか？」

「盗賊は、山で大人しくしていろ」

「後悔するぞ、九紋竜」

馬は、仲間のところへ駈け戻っていった。

歩兵が、散開する。やはり統制のとれた動きだった。ただ、前へは進めない。これ以上進むと、三方からの攻撃を受けることになるのだ。

一騎、突出してきた。槍の穂先が、夏の陽を鮮やかに照り返している。かなりの腕だ。見ただけでわかった。史進は、馬をゆっくり進めた。

「跳澗虎《ちょうかんこ》陳達、九紋竜の腕を試してやるぞ」

大将が出てきたようだった。陳達に合わせて、史進も駈けた。馬が行き合う。まずは、小手調べだった。史進は、正面から突いてきた槍を、棒で払っただけだった。鋭い槍を遣う。しかし、正面からというのは、陳達もやはり史進の力量を測ろうとしたのだろう。

二合目。槍の穂先はめまぐるしく動き、それで史進の棒を避けようとした。互いに触れ合わず、三合目に入った。史進には、陳達の槍の隙が見えていた。槍と棒が交錯する。槍にかかっている力に合わせて棒を絡ませ、撥《は》ねあげた。宙を飛んだ槍が、きらりと光を放った。信じられないような表情で、陳達がそれを見あげていた。

馬を返す。陳達に、剣を抜く暇は与えなかった。棒で陳達の躰《からだ》を突きあげ、次の瞬間には、片手で肩に担ぎあげていた。陳達を担いだまま、馬をゆっくりと返した。村人たちが、歓声をあげる。

盗賊が、一斉に退きはじめた。

史進は陳達を地面に投げ降ろし、縛りあげさせた。

陳達は、屋敷の庭に担ぎこまれた。魯智深が、史進を見て微笑《ほほえ》んだ。どこにいたか、わからなかった。

「さすがに、王進殿の直弟子だ。あの槍を巻き落とすとは、恐れ入ったものだよ」

「見ていたのですか？」

「昔から、見物は好きでな。ひとりで、盗賊を追い払ったようなものではないか」

「まだ、終っていません。あとの二人の首領が、どう出てくるかです」

村人たちは、また前と同じ警戒態勢を取りはじめた。屋敷の庭には、十人ばかりの小作がいるだけだった。

「おい、九紋竜」

縛りあげられて転がった陳達が、顔だけあげて言った。

「おまえは、確かに強い。しかし、なんのためにそんなに強いのだ。俺たちの邪魔をするためにか？」

「負けた者が、大きな口を利《き》くな」

「確かに、俺は手もなくおまえにひねられた。こんなことは、はじめてだ。しかし、恥じてはいないぞ。俺は、おまえと闘うために山を降りてきたのではない。華陰県の役所を襲うために来たのだ。それを、おまえに邪魔をされた」

魯智深が陳達に近づき、上体を起こしてやった。それで、陳達は後手に縛られて座りこんだ恰好《かっこう》になった。

「朱武と楊春という俺の兄弟たちは、史家村に九紋竜がいる、と言って止めた。だが俺は、華陰県の役人に我慢がならなかったのだ。賄賂で懐を肥やし、その上年貢米まで誤魔化している。まったく許せないやつらだ。人の血を吸って、生きているのだぞ」

陳達は、顔を真赤にして怒鳴っていた。

「おまえは、そんな役人を守って、自慢なのか？」

「守っただと？」

一瞬、なにを言われているのか、史進には理解できなかった。華陰県の役人に、守ってやる価値などない。

「守ったのでなくて、なんなのだ。俺たちが、史家村の物に手をつけたか。腐った役人から身ぐるみ剝《は》ぎ取ってやるために、ただここを通ろうとしただけではないか。それをおまえが邪魔をした。役人を守ったのでなくて、なにを守ったと言うのだ、九紋竜？」

史進は、言葉を失った。確かに、結果としてはそうなった。役所に睨まれたくないからという理由で、盗賊と腰を据えた戦をやろうなどと考える村はないだろう。役所のためになにをやったところで、賄賂は取られるし、年貢は誤魔化される。

「俺は、盗賊というものが許せないのだ、陳達」

「笑わせるな。俺たちと役人と、どちらが盗っ人だ。堂々と盗みをやる役人を守るおまえは、俺たち以上に盗賊だろうが」

「もう言うな、陳達。首を飛ばすぞ」

「おう、殺せ。こんな世の中、生きていてなんの価値がある。役人を痛めつけてやれなかったのは残念だが、おまえのようなやつに会った俺に、運がなかったのだ」

「こわくないのか、死ぬのが？」

「こわくて、役所を襲えるか。少華山に入った時から、俺は命を捨てている」

史進は、かっと頭に血が昇りそうになるのを、なんとか抑えた。武術では勝ったが、口では負けている。

「おまえのほかに、まだ二人首領がいるそうだな、陳達?」

「同じように、役人には腹を立てていた。しかし、史家村に九紋竜がいるので、動かなかったのだ。俺は苛立《いらだ》って、ひとりで兵を出した。そうだ、首を飛ばすと言ったな。早いところ、そうしてくれ」

「なぜ?」

「二人は、兄弟のようなものだ。俺が捕えられたと聞いたら、助けようとするだろう。しかし、おまえに勝てる腕はない。とすると、捕えられたり殺されたりするかもしれん。俺の短気で、兄弟をそんな目に遭わせたくはないのだ」

「俺をこわがっているのだろう、二人は?」

「それと兄弟であることは、別なのだ。俺でも、助けに行く」

「もういい。大人しくしていろ」

「待て、九紋竜。俺は死なねばならん。早く首を刎《は》ねろ」

史進は、怒鳴りまくる陳達に背をむけ、家の方へ歩いた。魯智深が、腕組みをして立っていた。

「考えどころだのう、史進殿」

呟くように、魯智深が言った。

「なにを、考えろと言うのです?」

「王進殿の言われたことの意味を」

それ以上、史進は魯智深と喋《しゃべ》っていたくなかった。

そのまま、自室に入った。まだ陳達は怒鳴っているようだが、はっきりと言葉は聞きとれない。自室の壁には、棒が十数本かけてある。鉄製のものもあった。稽古の時は、大抵鉄製の棒を振っているのだ。

強くなりたかった。そして、強くなった。なんのためだったのか。強くなったいま、それはわからなくなっている。

人並みに、憤りはあった。不満もあった。役所に納める年貢を集める時、政治がもっとよくなれば、と何度も考えた。収穫のかなりの部分を取りあげなければならないことで、父が心を痛めていたのは、幼いころから見ていたのだ。

自分はなにをやったのだ、と史進は考えた。確かに、盗賊が村を通るのを、阻止した。しかし、それで得をした者は誰なのか。襲われるはずだった、役人たちではないのか。

実戦で、棒を遣ってみたかった。盗賊なら、都合のいい相手だったのだ。打ち殺したところで、ただの盗賊。そういう気持が、心の底のどこかになかったか。武術だけの人間になるな。王進の言葉が蘇る。どこかで、自分の武術を誇り、自慢しようとさえ思っていたのではないのか。

勝ったのに、残っているのは苦さだけだった。

「くそっ、俺が盗賊だと」

史進は呟いた。頭の中が、多少混乱しているという自覚はある。陳達に、思ってもみなかった罵声《ばせい》を浴びせられたのだ。

酒を飲んで忘れよう、と史進は思った。あれこれ考えこむのは、性に合っていない。史進は、手を叩《たた》いて下女を呼び、酒を命じた。陳達の怒鳴る声は、もう聞えなくなっている。

三

魯智深は、縛りあげられた陳達とむかい合っていた。

きのうから庭に放り出されたままだが、陳達の眼は死んでいない。むき合って腰を降ろした魯智深に、強い視線をむけてきた。史進は、部屋に閉じこもったまま、出てこようとしない。

「なんだ、坊主？」

「魯智深という名がある。この屋敷の客で、もう十日ほどは世話になっているかな」

「だから、なんの用だと訊《き》いているのだ。俺は、もうすぐ首を刎ねられる。坊主の相手などをしていたくないのだ」

「多分、首を刎ねられることはないだろう」

「役人に引き渡されても、同じなのだ。ならば、俺を打ち負かした九紋竜に刎ねられる方が、まだましというものだ」

「役人にも、引き渡したりはしない、という気がする」

「いい加減なことを言うなよ、坊主。魯智深という名か。正直に言えば、俺も死ぬのはこわい。いつ首を刎ねられるか、びくびくしているのだ。それを面白がられたくはないな。ひとりにしておいてくれ」

「史進は、まだ若いのだ。強すぎるほどに強いが、まだ二十歳だぞ」

「だから」

「盗賊と聞いただけで、闘ってみたくなる。そして闘った。しかし、おまえがきのう喚《わめ》きたてたことは、相当こたえたようだ。部屋に籠りきりだからな」

「どうせ首を刎ねられる。だから、思っていることを言った」

「それがよかった、と俺は思うぞ、陳達。若いがゆえに、なにが正義かということを、ただ言葉で決めてしまう。それが、きのうのおまえの喚きで、ほんとうの正義とはなにかと考えはじめたのだ。そういうところも、史進の若さだな」

「何者だ、おまえは？」

「魯智深と言ったであろう。宋江《そうこう》、晁蓋《ちょうがい》という名とともに、いずれその名を聞くこと

「があるかもしれん。おまえが、死んでいなければだがし
「待てよ、魯智深だと。もしかすると、武松の兄貴分か？」

「そうだ。いずれ、どこかで会いたいものだな、陳達」

　武松が知り合いになった盗賊の中で、少華山の朱武、陳達、楊春は、いくらかましな者の中に入っていた。少なくとも、官というものに対する反抗心は、かなり強い。

　どうすればいいか、魯智深は迷っていた。部屋に籠ったまま出てこない史進が、なにを考えているかにもよる。庭には小作たちが十人ほどいるが、屋敷の外にはもっと集まっているようだ。それとは別に、百人ほどが襲撃に備えているはずだった。

　門からひとりが駈けこんできて、屋敷の中に緊張が走った。

「馬だ」

　叫びながら、史進が飛び出してくる。少華山に残っていた首領の二人が、史家村に近づいてきているらしい。

「二人だけだと？」

　次の報告を受け、史進がまた叫んだ。

「なにかの罠《わな》かもしれん。全員持場につかせろ。それから、斥候《せっこう》を出すのだ。盗賊の本隊がどこにいるのか、確かめなければならん」

　人が散っていく。史延が、おろおろと歩き回っている。史進は馬には乗らず、なにか

考える表情をしていた。

「おい、九紋竜。俺を連れていけ。兄弟たちには、俺が帰れと言う」

陳達が叫びはじめた。声には、切迫した響きがある。

「聞いているのか、九紋竜。もし連れていけないのなら、首だけ持っていけ。俺の首を見たら、兄弟たちも諦《あきら》めるだろう」

史進は、ちらりと陳達に眼をくれたが、なにも言わなかった。抱えていた数本の棒の中からひとつ選び、右脇《わき》にたばさむようにして馬に乗った。棒が鉄製であることに、魯智深は気づいた。六十斤（約十三キロ）はありそうだった。打ち倒すだけで済むはずもなく、一撃をまともに食らえば死ぬしかないだろう。止めるすべはなさそうだ、と魯智深は思った。

「魯智深、頼む、止めてくれ」

陳達が叫ぶ。

「まあ、おまえの兄弟たちの器量を、見てみようではないか」

魯智深は陳達のそばにしゃがみこんでそう言い、史進のあとを追った。

二騎だけで、堂々と進んできていた。すでに村の備えの中に入っていて、両側から攻められれば、ひとたまりもないだろう。

史進が、馬上でじっと二人を見つめている。しんとしていた。近づいてくる馬の、蹄《ひづめ》の音が、別のもののように大きく響いた。

「九紋竜と呼ばれている、史進殿か？」

史進が、かすかに頷いたようだった。

「俺は、朱武という者だ。こっちは下の弟の楊春。上の弟が捕えられたと聞いたので、引き取りにきた」

朱武は口髭《くちひげ》を蓄えていたが、小柄で華奢《きゃしゃ》な感じがした。もの言いは落ち着いている。楊春の方は、白い肌のやさ男だった。

「盗賊を、捕えたまでだ」

「この村で、盗賊を働いたのか。ならば、捕えられても仕方がない。しかし、そんなことはしなかったはずだ。史進殿は、役人の代りをしているのか？」

「いや」

「ならば、話し合えると思う。こうして、二人だけで来ているのだ。もとより、死ぬことも覚悟している。しかし、理不尽な死は耐えられん。話し合いには、応じてくれ」

朱武は、持っていた槍を捨て、馬を降りた。楊春も同じようにした。二人が、史進にむかって歩み寄ってくる。史進の棒が、生き物のようにぴくりと動いた。

魯智深は、思わず史進の馬の前に出た。

「ここは、この坊主が役に立ちそうな気がするな。こうして覚悟を決めた者を打ち殺す技など、王進殿は教えなかったはずだ」

王進の名を出すと、史進は自分を取り戻したようだった。脇にたばさんでいた棒を、投げる。その重たい音で、一瞬すべてが静止したような気がした。

魯智深は、二人の方へ数歩近づくと、土の上に腰を降ろした。二人にも同じようにするよう勧めると、大人しく従った。

「史進殿も、ここへ来て座ったらどうだ。話して損になる者たちとも思えん」

しばらく考えていた史進が、馬を跳び降り、ずかずかと歩いてきて、二人にむき合うようにして座った。

「まず、最初に訊きたい。弟は、まだ生きているのだろうか？」

「生きている」

「そうか、よかった。弟が死んでいれば、俺らも死ぬしかない、と思い定めていた」

「少華山の三人は、どうもそういう契《ちぎ》りを結んでいるようだ、史進殿」

「なぜ？」

「われら三人は、二年前に京兆府《けいちようふ》で小役人をひとり打ち殺した。そのことについて恥じてはいないが、追われる身となった。少華山まで流れてきて、盗賊に身を投じたのだ。しかし、盗賊のありようにも、どうしても我慢がならなかった。村を襲う。女は犯し、老人や子供も殺す。人のやることではない。ついに耐えきれず、三人で盗賊の重立った者七人を討ち果した。下にいた者たちの半数以上は、俺らに従うと言った」

「ほう、どんな仕事をしている？」

魯智深が、口を挟んだ。それまでじっと史進を見つめていた朱武が、魯智深に視線を移した。

「これまでに襲ったのは、京兆府の大商人の一行と、南の商州《しょうしゅう》にある役所の穀物倉、陝州《せんしゅう》湖城で河水《かすい》のほとりに集積された年貢米だ。今度は、県の役所を襲おうと企てたのだが、どうしても史家村を通らなければならず、俺も下の弟も二の足を踏んでいた。九紋竜史進の噂は、少華山では恐怖とともに語られていたからだ。しかし俺が眼を離している間に、血の気の多い上の弟が、ひとりで出かけてしまった」

「やはり、県庁の役人が許せんのか？」

また、魯智深は言った。史進は、太い腕を組み、うつむいている。

「役人は、役人であるということで、すでに罪を犯している。いい人間もいるにはいるが、ほかの者の横暴を止めようとしないかぎり、同じ悪だ」

「すべてが悪とは、また極端な考えだな、朱武殿。しかしまあ、気持はわからぬではないが。この国は、躰の中が腐って、死にかかった人間のようなものだからな」

「貴殿は、史家村の客人なのか？」

「魯智深という。方々を見て歩いて、いまたまたま史進殿の屋敷にいるにすぎないのだが。陳達とも話をして、それほどひどい盗賊ではなかろうと思ってもいた」

「血の気は多いが、弟は天に恥じることは断じてやっていない」

「俺が訊きたいのは」

史進が頭をあげて言った。

「ひとりが死ねば、なぜ残りの二人も死なねばならんのか、ということだ。そんな契りに、なんの意味がある？」

「俺ら三人、それぞれ駄目なところがある。三人で補い合って、ようやくひとりの人間だと思っているのだ。ひとり欠ければ、俺らが討ち果した盗賊の頭《かしら》たちと同じになりかねん。旅人や村を襲うだけの、世の害にしかならぬ盗賊に堕《お》ちるかもしれんのだ。だから、ひとり死ねば、残りも死のうと決めた。もともと役人を打ち殺し、死罪になっていた身だ。死ぬのが遅れたと思えばいい」

史進が大きく息を吐き、また腕組みをして黙りこんだ。

「しかしな、おぬしらなかなかやるではないか。一千の州の軍が攻めてきたのを、二度まで追い払ったと噂で聞いたぞ」

「それはな、魯智深殿。策に嵌《は》めただけなのだ。そういう策を立てるのが、俺はいささかうまい。弟たちは、戦がいささかうまい。それだけのことで、少華山の頭目をやるには、正直なところ荷が重いのだ。今度も、上の弟が突っ走るのを止められなかった」

「三人が、ともに死ぬ。俺には理解できん」

史進が、呟くように言った。

「それは、史進殿が強すぎるからだ。寄り添って、弱さを補い合わなければならぬ者の、気持がわからないからだ」

「俺が、強すぎる？」

「そうだ。しかし、虎が強いのと同じように、強いだけだ。悲しい強さだと、俺は思う」

「なんだと？」

「兄者《あにじゃ》、やめにしろ」

楊春が、はじめて口を利いた。喋ることは苦手らしい。

「俺がここで史進殿と立合ったら、片手でひねり殺されるだろう。しかし、その強さに、なんの意味がある。せいぜい、史家村を盗賊から守る程度であろう。守れぬより、それはいいと思うが、やはり俺には悲しい強さに感じられる。うまく言えぬが」

「そうか、悲しく強すぎるか」

「史進殿、それで弟を返していただけるのだろうか。それとも、俺らもここで死ぬべきか」

「それは」

「武術家は、勝敗にこだわるのだろう。しかし陳達は、多少腕が立つものの、武術家ではない、と俺は思う。率直になるのも、男だぞ、史進殿」

魯智深が言った。史進はうつむいていたが、不意に顔をあげると立ちあがった。

「待っていろ」

そう叫び、馬に跳び乗って駈け去っていく。遠巻きにしていた村人たちが、ざわつきはじめた。

「悲しい強さか。史進にはぴったりの言葉だな、朱武殿」

「若いが、首領の器《うつわ》だ、あれは」

「人の世には、縁というものがある。それがどう生きるかだ」

朱武が怪訝《けげん》な顔をしたが、魯智深はそれ以上は言わなかった。生来の無口なのか、楊春は黙りこんだままだ。

しばらくして、馬が二頭駈け戻ってきた。ひとりは、縛りあげられていた陳達だった。

「おう、兄弟。解き放って貰ったぞ。間違って捕えてしまったと、史進殿が謝ってくれた」

「そうか」

楊春が、涙を流していた。

史進は、馬から降りて三人に軽く一礼すると、村人たちに散るように言った。

四

老人は、呻吟《しんぎん》しながら、十本ほど束ねた針を使っていた。彫られている史進の方が、平然とした表情だった。

九匹の竜を、一頭の巨大な竜にする。そのために、老人は城郭《まち》から呼ばれたのだ。九匹の竜をつなげ、一頭の竜が躰に巻きついたような図柄だった。それでも、九匹の竜のところだけ、不自然な感じになる。史進はそこにだけ赤い色を入れさせ、大きな鱗《うろこ》のようにしてくれ、と註文《ちゅうもん》していた。

老人の腕は確かだ、と見ていて魯智深は思った。九匹の竜を彫ったのも、この老人だという。巨大な竜に負けまいと、老人は呻吟しているようだった。

「なんのためなのだ、あれは。九紋竜という名を捨てる気なのかな？」

一日で彫りあげることは無論できない。与えられた部屋で休んでいる老人に、魯智深は訊いた。老人は、かすかに首を振った。

「あの竜が、私の最後の仕事になりそうです、お坊様。躰から出てくる覇気のようなものに、私はとり殺されてしまいます。それに」

「それに、なんだ？」

「九匹の竜は、そのまま九枚の大きな逆鱗《げきりん》になるのです。九枚の逆鱗を持つ竜など」

「そうか。あの赤い色は、逆鱗か」

「許せないものを九つ、躰に刻みこむのだそうです。卑怯《ひきょう》とか、裏切りとか、臆病《おくびょう》とか、若旦那は心に決めたものを九つお持ちのようです」

朱武、陳達、楊春の三人に会ってから、史進は明らかに変ってきた。三人に会うために少華山に行ったり、三人を屋敷に呼んで饗《もて》なしたりしはじめたのだ。

史進なりに、なにかを見つけたのだろう。そして、九枚の逆鱗で、自分を縛ろうともしている。ただ、もうひとつなにかが足りなかった。それがあれば、九枚の逆鱗を持った竜は、世に飛翔《ひしょう》する。

「思いがけず、長い逗留《とうりゅう》をしてしまった、史進殿」

魯智深は、史進に別れの挨拶《あいさつ》に行った。

「なんと、旅立たれるのですか、魯智深殿は？」

「居心地がよかったので、つい長居して御迷惑をかけた」

「なにを言われます。田舎でなにもありませんが、一年でも二年でも、私は魯智深殿に滞留していただきたい。お話のひとつひとつで、私はずいぶんと眼を開かれたのです」

史進は、上半身裸で、隆々とした筋肉を剝《む》き出しにしていた。それに、彫りかけの巨大な竜が巻きついている。入墨《いれずみ》を彫っている時は体液が滲《し》み出すので、裸でいるらしい。

「人の生は、別れの積み重ねのようなものだが、史進殿とはまた会えるという気がしている。それが、縁というものだ。俺は、縁を信じて生きているのだよ」

史進とは、充分に喋った。人の世のありよう、国のありようについても、喋りすぎるほどに喋った。

「次に会う時、その竜は見事な姿を見せてくれるんだろうな」

「ほんとうに、旅立たれるのですか、魯智深殿。王先生が旅立たれた時のように」

「竜を大事にされよ、史進殿。王進殿の言葉も忘れぬようにな」

「別れですか。せめて、私が自分への諌《いさ》めとして彫っている、この竜が完成するまで」

「今度会う時の、愉しみにしておこう」

魯智深は、懐から冊子を取り出した。

「これを、差しあげよう。俺が敬愛する方が喋ったことを、書きとめたものだ。暇な時に読んでみて、俺を思い出してくれ」

「そうか。魯智深殿もいなくなるのか。そして私は、田舎の保正として、なにをなすこともなく、いたずらに老いていくだけなのですね」

「史進殿。誰にも秋《とき》というものはある。俺には、史進殿の秋は、すぐそこまで来ているとも思える」

史進はさらに引き止めようとしたが、魯智深は固辞した。必ずまた会うからと、別れの宴も断り、翌日の早朝、魯智深はひとりで史進の屋敷を出た。

しかし、すぐに東へはむかわなかった。

少華山にほど近い川のほとりで、人を待った。

「花和尚《かおしょう》から手紙を貰って、何事かと思ったが、旅立たれるのか？」

やってきたのは、朱武である。口髭を撫《な》でながら、並んで腰を降ろし、川面を眺めはじめた。朱武とは、かなり深いところまで話をしている。宋江についても、名前以外は、ほとんどのことを喋っていた。

「そのうち、鄆城《うんじょう》へ案内して貰えるのか、と本気で思っていた。俺のような盗賊では、あの冊子の方と会うのは無理なのかな」

「なにを言う。いま、最も会わせたい男はおまえだ、朱武。しかし、まだ時ではない。鄆城へ行くより、おまえはここにいてくれた方がいい」

「そうか。俺のことを忘れずにいてくれる、ということだな」

「折にふれ、手紙を人に託そう」

「わかった。わざわざ、こうして別れの機会も作ってくれたのだしな」

「別れとは思っておらん、朱武。俺は、おまえに断っておかなければならないことがあったのだ。おまえが知っていれば、ひどいことにならずに済むと思うし。話を聞いて、俺を軽蔑《けいべつ》したければばしてもいい」

「なんなのだ、一体？」

「史進のことだ」

「ふむ」

朱武は、土手の草を一本抜き、指さきで弄《もてあそ》んだ。

「このままでは、世に出られぬ鬱屈を抱えた、田舎の保正で終ってしまう」

「しかし、盗賊というものにはなりきれない、と俺は見ている。あれほどの武術を持ち、あれほど人に仰ぎ見られる男だ。少華山の首領になれば、俺はその下で数百人をしっかりまとめる自信はあるのだが」

「育ちがいいのだ。おまえたちが正しいと思いながら、盗賊という呼び名にこだわってしまう。史進が少華山に入るには、なにかひとつ必要なのだと思う」

「それがなにかわかれば、俺は誘っているさ」

「史進の屋敷で、また宴会があるだろう、朱武。その時、州の軍が屋敷を攻める。実は史進も少華山の仲間だということでな」

「花和尚、おぬし」

「俺を軽蔑してもいい、と言ったろう。史家村には、史延という実直な男がいて、立派に保正が務められる。農耕については、史進は史延に任せっきりだ」

「だからと言って」

「なにかひとつ必要なもの。それは、史進をこの世から消そうとする力だ。それは、ひとりの人間の力ではない。権力というものだ、と俺は見た。州の軍兵がそれをやってくれたら、史進は少華山にむかって踏み出すしかなくなる」

「こわい男だな、花和尚は」

「史進が敬愛する王進という武術家は、子午山に隠棲《いんせい》して、自らの内なるものを見つめる生活に入った。惜しいと俺は思ったが、仕方がないという気もする。しかし、王進はひとりだけで充分なのだ。武術は、やはり世の役に立ってこその武術であろう」

「史進を州兵に売ると、なぜ俺に言うのだ、花和尚。黙っていればいいことではないのか？」

「知っている人間がひとりいてくれれば、俺はそれだけで慰められる。面白くてやることではないのだ」

朱武が、草を水に抛《ほう》った。草は束《つか》の間《ま》水面で静止し、そして流れに乗った。

「俺ひとりの肚《はら》に収めてしまえばいいのだな、花和尚？」

「間違っても、史進が州兵に捕えられるような事態は、招きたくない」

「わかった。俺が引き受けよう」

魯智深は、頷いた。朱武は、それ以上なにも言おうとしなかった。

それから十日ほど、魯智深は少華山の近辺に留まった。

州兵が出動し、史家村を囲んだという噂が流れた。九紋竜史進は、屋敷に火を放ち、その囲みを破って少華山に入ったという噂も聞えてきた。

「悪く思うな、史進。おまえを州の軍に売ったのは、俺だ。俺は、そのことを忘れん」

魯智深は、呟くように言った。自分に言い聞かせていることでもあった。

魯智深は東へむかい、西京河南府《せいけいかなんふ》に入った。

知り人の家で、手紙を二通受け取った。一通は宋江からで、もう一通は武松が残したものだった。

河南府は、古くからの都だけあって、開封府とはまた雰囲気が違った。開封府の活気に較べて、しっとりした落ち着きがある。

大道で、武芸の見せ物をしている男がいて、魯智深は足を止めた。武芸のあとに、膏《こう》薬《やく》を売るということらしい。しかし、見物しているのは、数人だった。剣で、瓦《かわら》を斬《き》っている。いい腕だが、いかんせん地味だった。それにこういう商売は、河南府の大道では似合わない。開封府でやった方が、まだ受けるだろう。口上の力強さもなかった。それでも男は、三枚目の瓦を斬ったところで見物人が立ち去りはじめ、魯智深ひとりになった。

「もういい」

魯智深が言うと、男は背をむけて座りこんだ。

「どうしたのだ？」

「放っておけ。腹が減っているのだ」

「そうか。俺はめしを食おうと思っていたところだ。よかったら、一緒に食うか？」

「なに、めしを振舞ってくれるのか？」

「見物させて貰ったからな」

笑って、魯智深は言った。男が、路上に拡げた膏薬などを慌てて箱に収《しま》いはじめた。

「いい腕だが、見物人にはわかるまいな」

小さな店に入り、茶と饅頭《まんとう》を頼んだ。肉入りの饅頭を、男は二つあっという間に平らげた。魯智深は、自分の分をひとつ分けた。

「すまんな。俺は、薛永《せつえい》という流れ者だ。食う道が、もうなくなった。剣の技を売るというより、ほんとうは膏薬を売りたいのだ。薬草については、自信がある。効くぞ、俺の膏薬は。傷薬もある」

「売る方法がまずいのだな」

「能がない。剣はいくらか遣えるが、自慢の薬を売る役には、なかなか立ってくれん」

「難しいな、生きるのは」

「まったくだ。俺の薬を試しさえしてくれたら、と思うのだが、誰に勧めても嫌がられる。なぜかな？」

男の指先は、青黒く変色していた。薬草をいじってそうなったのだろう、と魯智深は思った。

「見せ物にせず、剣を遣って商売はできんのかな。いい腕だから、用心棒にはなる」

「瓦は斬れるが、人を斬るのは嫌いでね」

情なさそうな表情で、薛永が言った。その表情が、どこか魯智深の気持を動かした。

「俺は、魯智深という。花和尚とも呼ばれているが。旅の途中だ。一緒に旅をせんか？」

「旅をすれば、なにかいいことがあるのか？」

「野山を歩く。いい薬草が見つかるかもしれんではないか」

薬草と聞くと、薛永の眼が輝いた。

「駄目だ、路銀がない」

「俺は坊主だ。食い物ぐらいは、なんとかなるぞ」

「そうだな」

薛永が考える顔をしている。

魯智深は、それ以上強くは言わなかった。

故郷に帰る前に、もう一度武松に会ってやらなければならない。手紙では、強がったことを言っているが、どこか挫《くじ》けそうなところが見えるのだ。晁蓋が武松にかけている言葉を聞いていて、少し扱いを変えようと魯智深は思いはじめていた。

外に出た。夕刻になると、秋の気配が漂いはじめる。時が移るのは早い、と魯智深は思った。

地囚《ちしゅう》の星

一

枯葉の多い季節になった。

毎朝、店の前の枯葉を掃き集めるのが、朱貴《しゅき》の一日の最初の仕事になった。前の道は梁山湖《りょうざんこ》の辺《ほとり》に沿っていて、そこからちょっとあがったところに、朱貴の店はある。

旅人は、少なくなかった。物資を運ぶ、郡や県の輸送隊もしばしば通る。店だけで、生計《たつき》は立った。

枯葉を掃くと、朝の仕込みに入る。豚肉と野菜と米。それに、梁山湖で獲《と》れる魚が、出すもののほとんどだった。秋になったので、野菜の中に茸《きのこ》なども入る。

これから冬に入り、肉などは大量に貯蔵できた。店の外の甕《かめ》に入れておくと、凍って硬くなり、腐ることがないのだ。

店は卓が六つあり、一度に三十人は入れるが、全部の卓が埋まることなど滅多になかった。奥が調理場で、隅には酒の甕が三つ並んでいる。

二階が、朱貴の住いだった。裏の小屋に下男がひとりいるが、これはほとんど下働きである。

妻の陳麗《ちんれい》が店に出ることは、あまりない。二十四歳だが、二年ほど前から体調を崩していた。どこかが痛むわけでもなく、痩《や》せるわけでもなく、ごく普通に見えるのに、一日寝ていたりするのだ。なにかに不満があるというわけでもなく、起きあがれないことを本人が口惜《くや》しがっているほどだった。

朱貴は、四十三歳になっていた。女は次々に取り替えてきたが、陳麗を娶《めと》ってからは、ほかの女に眼がむかなくなった。四年前のことだ。吸いつくような肌に魅せられたこともあるが、気持も大きく傾いた。女に心を傾けるのは、朱貴にとってははじめての経験だった。

その陳麗の体調がすぐれない。朱貴の悩みの種ではあった。

朝の仕込みを終えると、朱貴は二階にあがって陳麗のそばへ行った。今日はいくらか具合がいいらしく、起きて髪を梳《と》いていた。黒々とした、豊かな髪である。

「気分がいいのなら、たまには外を歩いてみたらどうだ、陳麗」

「そうしたいという気持はあるのですが、また倒れてしまったらという不安に包まれてしまうのです」

天気のいい日に、外へ出た。店のまわりをしばらく歩いただけで、陳麗は冷や汗を浮かべ、倒れたのである。

そういう陳麗でも、夜は朱貴を受け入れる。そして充分に、朱貴を満足させる。透き通るように白い陳麗の肌が、顔は勿論《もちろん》、首筋から意外に大きな乳房にかけて、鮮やかに紅潮するのだ。その紅潮を見ながら精を放つために、ふだんはひとつの寝室の明りを、四つにしていた。

「旦那《だんな》様こそ、時には気晴しに城郭《まち》にでも出かけられたらいかがですか。あたしは、家の中にいるかぎり、心配はいりませんわ」

「私は、店で仕事をしているのが、一番なのだよ」

無為に時を過ごしている。そんな気分に、時々襲われた。陳麗がそばにいさえすれば、それもまたいいという思いも同時にある。

心の中に、諦《あきら》めに似たものがあった。かつては、世に出ようという志を抱いてもいたのだ。思い返すと、あの純粋さが嘘《うそ》のようでもある。科挙《かきょ》に合格して役人になったとして、この世がどう変ったというのだ。長い歳月で腹の中が腐る、そういう役人にしか自分はなれなかっただろう。

しばらく陳麗の話し相手をし、昼食の客が現われるころ、朱貴は下へ降りた。

やってきたのは、王倫《おうりん》の一行だった。武器などは荷車に隠し、道路でも作る人夫のような身なりをしていた。

「豚の肉と野菜、それに饅頭《まんとう》をくれ、親父《おやじ》」

「それから、酒もだ」

王倫のあとに、宋万《そうまん》がそう続けた。

店で、王倫は朱貴のことを親父としか呼ばない。

王倫は、一緒に科挙の試験を受けた仲間だった。結局二人とも、それに合格することはなかった。朱貴は当然だと思うようになったが、王倫はまだ試験に不正があったのだと言い続けている。

ここで店をやっている朱貴のもとへ、王倫が訪ねてきたのは、もう十一年も前のことだった。

王倫は、いまの世の不正を糺《ただ》すために、身命を賭《と》して闘うのだ、と言った。そのために、梁山湖の中の島に山寨《さんさい》を築く、と熱っぽく語った。

梁山湖の中の島は、相当な広さがあり、官軍に追われた賊が、逃げこむ場所になっていた。船で逃げていく盗賊を、朱貴は何度も目撃していた。いずれ盗賊の巣になるかもしれない、とも思っていたのだ。

百名ほどの同志がいる、と王倫は言った。

朱貴が依頼されたのは、街道の見張りと、情報の収集だった。ともに科挙試験に落ちた者として、多少の親しみはあった。それに、梁山湖の中の島が盗賊の巣になることは歓迎できず、朱貴は承知した。王倫が言う世直しに、共鳴したところも確かにあったのだ。

十一年の間に、梁山湖の山寨には、数千の人間が集まるようになった。その半数は、王倫の世直しの思想に共鳴した者たちだ、と朱貴は思っていた。

はじめの二、三年は、確かに王倫は役所の荷を襲ったりしていた。しかしそれからは、金を持った旅人や、商人が移送しようとしている荷を襲うことが多くなった。その方が、役所の追及が厳しくないのだ。

この男も、自分と同じように、楽な生き方を選ぼうとしている、と朱貴は思った。それは、屈折した連帯の感情でもあった。

店に立ち寄った商人が、どんな荷を運んでいるのか、と王倫に知らせることをはじめてから、どれほどの歳月が経《た》つだろうか。旅人を当てにした店が、近くに何度か開かれたが、そのすべてを王倫が潰《つぶ》してくれた。代りに、朱貴は情報を送り続けている。

だから自分は盗賊の仲間でもある、と朱貴は思っていた。

「このところ、あまり荷が動かないようだな、親父？」

「この街道は、警戒されはじめたのだよ、王倫。役所の荷は通る。それについては、知らせているはずだ」

「役所の荷は、やはり避けたい」

「いまは、数千の配下を抱えているのだろう、王倫。そして、堅固な山寨もある。なぜ役所の荷を避けるのだ？」

「それは、官軍に追われたことのない者の言うことだ。いいか、親父。官軍は甘くない。しかも、無限に近い兵力を持っている。ただの盗賊ではなく、叛乱《はんらん》の軍だと思われたら、山寨は包囲され、十日で落とされるだろう。いまは、ただ力を蓄える。それを考える時期なのだ」

十一年、力を蓄えた。あと五年、十年蓄えようと、それほど変らないという気はする。それでも、王倫の説く世直しには、確かに心を揺さぶるものがあったのだ。民とはなにか。国とはなにか。民にとって、役人とはなにか。民のひとりとして、不正を糾すために、なにをなし得るのか。

不正から、決して眼をそらすな。心に刻みこめ。なにかがあれば、必ずそれを思い出せ。同じ思いを抱いた人間が、やがて見つかる。手を取り合え。三人になったら、輪を作れ。三人の輪を、四人、五人と大きなものにしていけ。そしてまた、別の輪が見つかる。

最初から、王倫は同じことを説き続けている。科挙の試験に受け入れられなかった恨みが、そうさせているということが、朱貴にも見えてきた。恨みは、人に力を与える。王倫が科挙に合格していれば、同じ指弾を人から受ける役人になっただろう。それはいい。人は、敗れること、なにかを失うことで、変るのだ。

いまも、王倫が襲うのは、大商人の荷が多かった。役人と結託して得た利。一応の理屈は通っている。

「親父、俺は三千人の手下を抱えている。その係累も含めると、五千の人間が山寨にはいるのだ。まず、この人間を養わねばならん。なにをなすにも、人が必要だからな」

「それは、わかっている」

山寨の五千人というのが、多いのか少ないのか、朱貴にはよくわからなかった。ただ、五千人を養うのがどれほど大変なことかは、理解できる。

「とにかく、めしを食わせてくれ、親父」

王倫の言葉は、どこか狎々《なれなれ》しく、同じ仲間ではないかという響きが籠《こも》っていた。

「遠出をして、昨夜からなにも食ってはいないのだ」

頷《うなず》き、朱貴は調理場に入った。

豚の腿《もも》肉を煮たものを、大皿で出す。野菜は胡麻《ごま》を搾《しぼ》った油で炒め、辛味と塩味をつけた。饅頭は、魚肉を刻んだものを、麦の粉で包んで蒸してある。生臭《なまぐさ》くならないように、魚肉は一度湯に通し、わずかに塩味をつける。朱貴の店の、自慢の一品だった。

食うだけ食い、飲むだけ飲むと、王倫の一行は荷車を曳《ひ》いて街道を北へ行った。一里（約五百メートル）ほど先に船隠しがあり、そこから船で山寨へ渡るのである。

十一年前とは、なにもかもが違ってきている。王倫もそうだが、朱貴もそうだった。若さを失ってきたということなのだろうか。それとも、気づかぬうちに堕《お》ちたということか。

いまは、陳麗がいればいい。抱いていると、安らかになる。その安らぎさえあれば、ほかにはなにもいらない。

王倫の一行が食い散らかしたものを片付けていると、宋江《そうこう》と呉用《ごよう》が入ってきた。

「魚肉の饅頭はあるかな、朱貴殿？」

「いま、蒸《ふか》します」

宋江は、鄆城《うんじょう》県の役人だった。決して無理は言わず、賄賂《わいろ》も受け取らず、したがって出世もしないが、民には好かれている。朱貴も、嫌いではなかった。好人物というだけではないなにかを、ふと感じることもあるが、それも邪悪なものではなかった。むしろ、ふわりと引きこまれそうな深さなのだ。

呉用は、東渓村《とうけいそん》で塾の教師をしていた。このところ、宋江に連れられてよくやってくるが、以前にも二、三度来たことはある。

二人は、気が合っているふうに見えた。そして二人とも、朱貴の店を好んでいるようだ。鄆城からは、歩けば四刻（二時間）はかかる。無論、わざわざ魚肉の饅頭を食いに来ているわけではないだろうが、なにか用事で近くに来ている時は、必ず寄ってくれるらしい。

「おかしいと思わない方が、どうかしている。今年は水害も旱魃《かんばつ》もなかった。なのに、やはり民の苦しみは変らないのですよ。私は、子供たちを見ていて、それがよくわかる。これは、なにかが間違っているのです」

呉用が、大声で言っていた。宋江は、困ったような表情をしている。朱貴は、王倫の一行が飲み残した酒を釜《かま》に入れ、饅頭を蒸す準備をした。

「役人は、なぜ民の困窮に眼をむけないのです。宋江殿も役人である以上、この非難からは逃れられませんぞ」

「逃れる気はない。非難は甘んじて受ける。しかし、どうにもならないのだ。ただむなしいだけだ」

「それでいいのですか、むなしいだけで？」

「ひとりひとりが、できることをするしかない。私は、私ができることを、ただ精一杯やるだけだ」

「ひとりひとりがと言われるが、それは宋江殿ひとりだ。ひとりの力で、なにができるのです。役人がまとまって民のことを考えようとしないかぎり、この国は終ってしまいますよ」

さらに、呉用が言い募る。

「まあ、役人の悪口を言い立てたら、きりがありませんよ、呉用先生」

朱貴は、調理場から出て言った。

「それに、宋江様がなにか悪事をされているというわけではありません。悪事をしている役人の前で、そんなことは言われるべきだと思います」

「それは、そうなのだが」

宋江は、ほっとした表情をしていた。

「助かった。歩いている間もずっと言われ続けて、困っていたところだった」

「苛《いじ》めすぎですかな、誠実な宋江殿を」

「そうですよ、呉用先生」

「私が、こういうことを言える人は、あまりいなくてね。ほかには、保正《ほせい》の晁蓋《ちょうがい》殿に言うぐらいだ。晁蓋殿も、やっぱり困った顔をしている」

「その晁蓋様は、二度か三度、私の店にお見えになったことがあります。魚がうまいとほめてくださいましたよ」

「食いしんぼうなのだ、あの人は」

「それでも、立派な保正なのでしょう？」

「まあな。東渓村の民は、晁蓋殿が庇《かば》うので、だいぶ助かっている。その分、晁蓋殿が県庁の役人に睨《にら》まれているが、そんなことはあまり気にしていないようだ」

「ならば、その晁蓋様にいろいろ言われるのも、やはり見当違いではありませんか」

「そうだな」

今度は、呉用が悄気《しょげ》はじめた。

「まあ、私の饅頭でも食べて、元気を出してください、お二人とも」

「そうだ、ここの魚肉の饅頭は、ほかでは食えんぞ、呉用殿」

「魚肉ねえ。そういえば、梁山湖の山寨の賊徒が、魚を獲るのを禁じていて、漁師も困っているな」

王倫は、梁山湖の漁業の制限をはじめていた。といっても、梁山湖は広く、全部を制限することはできない。山寨の周囲に眼を光らせているということだが、そこが湖の中で最も魚が獲れる場所でもあった。

「王倫という男も、なにを考えているのだろうな。漁師は貧しい民だ。あの山寨は、義を掲げていながら、そうでもないようだ。宋江殿は、どう思われます？」

「盗賊が集まっている。しかし、役所を襲ったりはしないので、まあ無害な盗賊だということになっているな」

「そんな馬鹿な。役所を襲わなければ、無害なのですか。私に言わせれば、有害きわまりない。民を苦しめているだけなのですよ。むしろ、役所を襲った方が、民の役には立つ。わかった、宋江殿。役人は、自分たちを襲わない賊徒を守ってやっているのだ。下手に鎮圧にかかって反逆されるより、無辜《むこ》の民を襲ってくれていればいい。つまり、仲間のようなものなのだ。民を苦しめるという点では、まったく同じなのですからね」

役人と結託した大商人を襲っている。朱貴はそう言いたかった。しかし、山寨の賊徒が、二百、三百という数で、村ひとつを襲ったという話も、このところしばしば耳にする。

いま呉用が言ったことを、そのまま王倫に聞かせたい、と朱貴は思った。昔の夢は、どうしたのだ。権威や権力というものに対する、暗い怨念《おんねん》はどこへ行ったのか。しかしそれは、自分自身にもむけられる言葉であった。

朱貴は、調理場へ戻った。

饅頭が、いい具合に蒸しあがっていた。いつもとは、違う香りもある。

「ほう」

皿に載せて運ぶと、宋江が声をあげた。

「蒸すための湯の中に、酒をかなり入れましてね。宋江様と呉用先生に対する、せめてもの私の心尽しです」

「うまそうだ、これは」

宋江が鼻を近づけ、息を大きく吸った。

この田舎《いなか》の役人を、やはり朱貴はなんとなく好きだった。幼い子供のような仕草が、不思議によく似合う。そして、どこかに人を包みこむような大きさもある。

二人は、両手で饅頭を持って食いはじめた。その間は、ひと言も喋《しゃべ》ろうとしない。あっという間に、六つの饅頭が皿から消えた。

「さて、私は東渓村へ帰るか。子供たちが待っている。腹に溜《たま》ったものを宋江殿にむかって吐き出し、空いたところにうまい饅頭をつめこんだ。おまけに、今日の勘定は宋江殿が払ってくださることになっている」

朱貴が眼をむけると、宋江は苦笑して頷いた。呉用がそそくさと帰って行く。朱貴は、宋江に茶を一杯出した。

「奥方の様子はどうなのだ、朱貴殿？」

「まあ、ひどくもならない代りに、よい方にもむかいませんな」

二年前と較《くら》べると、いくらか悪くなっているような気がする。変化がほんのわずかずつで、毎日一緒にいるとわからないが、二年前はまだ時々店にも出ていたのだ。

宋江が茶を啜《すす》った。眼を閉じて、考えるような表情をしている。

「私は心配なのだ、朱貴殿」

「お気遣いをいただいて申し訳ないのですが、陳麗は私が守ります」

「そうではない。私が心配なのは、朱貴殿のことだ」

「私をですか？」

「もう十年になるかな、この店へ来て。十年前、朱貴殿の料理はこれほどうまくなかった。しかし、なにか不思議なところがあった。そうだな、男が立っているという感じとでも言うのかな。決して料理に負けていなかった」

料理がうまくなったからどうだと言うのだ、と朱貴は思った。十年料理を作り続ければ、誰でもうまくなる。

「いまは、料理だけがある、という感じなのだよ。こうしてそばに立っていても、朱貴殿をあまり感じない。極端に言うと、いないような感じがしてしまうのだな」

不意に、心のどこかを刺されたような気分になった。いないとはどういうことだ、と言い返そうとしても、口が開かなかった。

「いや、これは気を悪くさせてしまったかな。いないのは朱貴殿ではなく、実は私の方なのかもしれん。許されよ。十年も親しんでいると、つい立ち入ったことを言ってしまったりする」

「いや」

宋江が、勘定を払った。

出て行く宋江の後姿を、朱貴はぼんやりと見送った。

二

花栄《かえい》がやってきた。

青州《せいしゅう》から開封府《かいほうふ》への使者を務めた帰路で、多少の気ままが許される旅らしい。宋江は、花栄を自宅へ呼んだ。堂々と、旧友を迎えるかたちにした方が、むしろ自然だった。鄆城県でも、間者《かんじや》の眼は方々にある。

料理屋から、豪勢な料理も取り寄せた。

鄆城で親しくしている軍人である、雷横《らいおう》と朱仝《しゅどう》も呼んだ。開封府の禁軍《きんぐん》から転任してきた朱仝は、宋江に心を寄せている気配はあるが、まだ同志と呼べるほどではない。

かつて自分が命を救われた男として、宋江は花栄を二人に紹介した。

軍人と役人の宴会がはじまった。宋江は、三人に酒を勧めながら、聞き役に徹していた。武術から戦術、軍人の品定めまで、話は多岐にわたった。

「とにかく、駄目なのは禁軍だな。俺は禁軍にいたからよくわかるが、名家や金持の子弟がはびこっている。戦《いくさ》も知らないようなやつが、兵を指揮しているのだ。特に、高俅《こうきゅう》が最悪だ。その中で、童貫《どうかん》元帥の直属の部隊だけが、精強と言ってもいいと思う。鄷美《ほうび》、畢勝《ひっしょう》という二人の副官も、半端な軍人ではない」

酔いはじめると、朱仝が高俅の悪口を言いはじめた。これはいつものことで、鄆城でもあまり問題にする者はいない。

「賄賂ばかりが横行する禁軍にしたのは、高俅ただひとりの責任だと俺は思っている。もっとも、こんなことを平然と言っていたので、鄆城へ飛ばされたのだが」

「鄆城も、悪いところではあるまい、朱仝」

雷横は酒に強く、あまり酔ったところを見せない。

「まず宋江殿に会えた。そして、おまえにも会えた。いま、人物は開封府ではなく、地方にいるな。花栄殿も、そうなのだろう」

「私は、青州で盗賊との戦に明け暮れているだけです。ただ、私の眼から見ても、立派な軍人というのがいないわけではない」

「ほう、どんな人間がいるか、聞かせてくれぬかな」

「まず、汝寧州《じょねいしゅう》の指揮官をしている、呼延灼《こえんしゃく》。名将と言われた、呼延賛《こえんさん》の血を継ぐらしい。私はその軍の動きを一度見たが、これは見事なものだった。それから、青州の指揮官である秦明《しんめい》将軍。私の上官にあたるのだが、声が大きくて霹靂火《へきれきか》と呼ばれている。軍の指揮では一流だな」

「春に起きた塩賊の件では、青州軍も無様だったという話を聞いたが」

「それは、朱仝殿の言う通り無様だった。大規模な塩賊だったので、北京大名府《ほっけいたいめいふ》からも開封府からも援兵が来た。高俅の指示で、巨大な網を作り、少しずつ絞っていった。その網の中に塩賊がいるはずだったのだが、ひとりもいなかった。秦明将軍は、はじめから無駄なことだと言っていた」

「では、どうすればいいと？」

「まず製塩所の警備を厳重にし、二度と塩賊に襲われないようにするのが第一。どうしても塩賊を捕えたいのなら、ひとりふたりと狙《ねら》いをつけて捕えることからはじめる。一網打尽など、できるはずがない、と言っていた。いまの状態では、ほんとうは盗まれてしまったものは、諦めた方がいいのだとも」

「確かに、そうだなあ」

「呼延灼の噂《うわさ》は俺も聞いたが、それほどの将軍なのか？」

「俺も、一度見たことがあるぞ、雷横。兵ひとりひとりの、顔つきからして違った」

料理はあらかた食い尽したが、酒はまだ残っていた。話は続いている。

「花栄殿は、開封府に使者として来られたのか？」

「そうです、雷横殿。青州軍は、桃花山《とうかざん》、清風山《せいふうざん》、二竜山《にりゆうざん》といった、強力な賊徒の山寨と対峙《たいじ》している。殲滅《せんめつ》せよとの命令は届くのだが、兵力は足りない」

「開封府のやることは、そんなもんだろう」

朱仝が、見事な髭《ひげ》を撫《な》でながら言った。

「状況を説明し、兵力の増強の必要性を説くには、秦明将軍か私が来るしかなかった」

「それで開封府の返答は？」

「まあ、考えておくと」

「そんなもんだ。どうせ、高俅あたりが決めるのだろうが、増援はまずないな」

「私も、そんな気がした。秦明将軍は怒るだろうが、仕方がないな」

「高俅のような男が、開封府をわがもの顔で歩いているようでは、この国はいずれ駄目になるな」

朱仝も雷横も、開封府に対しては、相当に強い不満を持っていた。それは、ほとんど反抗心に近いと言ってもいい。

夜が更けて、朱仝と雷横は帰っていった。

花栄と二人になった。

「宋江殿、花和尚《かおしよう》は？」

「いま、西にいる。武松《ぶしよう》と一緒に動いているようだ。それから、知っているだろうが、林冲《りんちゆう》は滄州《そうしゆう》の牢《ろう》だ」

「冬は厳しいところです、あそこは」

「林冲には、苦労をかけていると思う。いまのところ、禁軍を追われた林冲に、行く場所はない」

「北京大名府の、盧俊義《ろしゅんぎ》殿には一度会いました。清風山には、できるかぎり手をつけないようにしていますが」

花栄とは、出会って五年になる。軍人にはめずらしく髭も蓄えていないが、精悍《せいかん》な美男だった。もっとも、本人は美男と言われることをひどく嫌っている。

「東渓村の晁蓋殿とは、会ってから青州へ帰ります。呉用殿や、阮《げん》三兄弟とも。帰りはのんびりしていい、と秦明将軍にも言われていますし」

「その秦明将軍だが」

「開封府に対して、いや高俅に対して、拭《ぬぐ》い難い不信感はあります。この国が、根本から変らなければならない、という強い思いもあるでしょう。しかしまだ、政府に反抗するというところに到《いた》ってはいません」

「すぐに立場を変える。そんな人間は、欲しくないな」

「その点、秦明将軍は頑固ですね」

「わかっている。とにかく、おまえは晁蓋に会って、青州へ帰れ」

「そうします」

「晁蓋という同志が現われた。それで、われらの志は、より身近なものになったと思う」

「愉《たの》しみですな、晁蓋という人に会うのが」

「果敢な性格だ。私には、とても真似《まね》ができん。そしていま、ああいう男が必要なのだ」

「朱貴という、酒場の親父は、どこまで宋江殿のことを知っているのですか？」

「いまのところ、鄆城県の役人と思っているだけだろう。朱貴については、私が魯智深《ろちしん》の力を借りずにやる」

「いよいよ、準備が整ってきた、という気がします。何年もかかりましたが」

「私は暢気《のんき》に役人をやっていたが、魯智深にとっては長すぎる歳月だっただろう」

「十六歳のころから、宋江殿は花和尚を御存知だったのでしたね」

「私は、十七だった。なぜか、魯智深とは気が合った。昔から、兄弟のような気持で接していたような気がする。その分、甘えもあったが」

朝まで、花栄と語り合った。武松のこと、戴宗《たいそう》のこと、晁蓋とともに同志になった者たちのこと。話は尽きない。

翌早朝、花栄は従者二人を連れて、宋江の家を出発した。

宋江にも、やるべきことは増えてきた。役人としての仕事は、それほどあるわけではない。まずやらなければならないのが、朱貴をこちら側に引きこむことだった。梁山湖の山寨の頭領である王倫とは、ともに科挙に挑んで敗れた仲間だということは、調べがついていた。王倫も、掲げた志だけは立派だったのだ。それがいま盗賊としか思えない男に変貌《へんぼう》し、その姿に朱貴が幻滅していることも想像がついた。

朱貴は、あの店をやりながら、王倫のために情報を集めている。山寨との連絡なども、すべて朱貴の店を通さなければならないはずだ。

閻婆惜《えんばしやく》の家に行った。

二年前から、宋江が囲っている女である。十九歳になり、母の馬桂《ばけい》と同居していた。母は、三十七歳である。

もともと閻婆惜の父の閻新《えんしん》と、宋江は同志の契《ちぎ》りを結んでいた。閻新は遊芸人で、唄《うた》や踊りを見せて各地を回っていた。それで宋江に全国の情報を知らせてきていたのだ。やさ男だったが、世を糺したいという志には、熱いものがあった。

その閻新が、旅先で病死した。北京大名府から、妻と娘が宋江を頼ってきた時は、正直なところ驚いた。閻新に、妻子がいたことを知らなかったのだ。しかし、間違いなく生前に閻新が認《したた》めた、宋江宛《あ》ての手紙を持っていた。

はじめ、宋江は閻婆惜を、養女にしようと思った。妾《めかけ》にしてくれと言ったのは、馬桂だった。遊妓《ゆうぎ》になるために育ててきたのであり、見知らぬ男の妾になるぐらいなら、宋江の世話になりたいと言ったのだった。

それもいいと思ったのは、やはり閻婆惜の容姿が並ではなかったからだ。初夜は、母親がそばについていた。躰《からだ》を硬直させているだけで、破瓜《はか》の血の始末も自分ではできなかったのだ。

それからは、さまざまな寝床の技を、馬桂に教えこまれたようだった。いまでは、そのあたりの遊妓とは較べものにならないほどの、床の技を身につけている。

馬桂は、閻新が残した一座を引き継ぎ、いまでもしばしば旅に出る。ただ、情報収集の能力は、閻新とは較ぶべくもない。

「脚が、こんなに張ってしまって」

閻婆惜は、床で横になった宋江のふくら脛《はぎ》を揉《も》みはじめる。閻婆惜に躰を揉まれるのが、宋江の安息のひとつだった。十日のうちの三度はくり返す濃密な交合も、まず閻婆惜の指が宋江の躰を揉むところからはじまるのだ。

「なにか、悩み事をお持ちですね、旦那様は。このところ、躰の方々が凝《こ》ってしまっておりますわ」

「そんなにひどいか？」

「とても。疲れているというのとは、違う気もするのです」

疲れてはいない。ここ十数年来、少しずつ、少しずつ、なにかに近づこうとしてきた。そのなにかが、逆にいまむこうから近づいてこようとしている。その重圧が、躰にこたえてきているのかもしれない。

同志の娘を妾にしたということについては、あまり考えないようにしていた。人には、さまざまな縁がある。閻婆惜とは、そういう縁だったということだろう。

「母者の帰りは、いつだ？」

「さあ。あと四、五日というところだと思うのですが」

開封府から、相国寺《しょうこくじ》の様子を知らせてきたのが、十日ほど前だった。

相国寺の広大な境内には、月五回の市が立つ。全国の物資のかなりの部分が、そこに集まるのだ。その一角に、宋江は食いこもうとしていた。同志というかたちではなく、商人と利害で手を結び、やがて品物を捌《さば》きたいと思っていた。なにかをはじめるなら、銭が必要で、それは奪うより商いの方がずっと儲《もう》かり、安全でもある。すでに、塩の道からの闇塩《やみしお》のいくらかを、盧俊義はそこで捌いているのだ。

躰を揉ませると、宋江は閻婆惜に手をのばす。好色であると思われることで、あまり人に警戒されないと言ったのは魯智深だったが、宋江はそんなことを考えて閻婆惜を妾にしたのでもなかった。事実、好色なのだ。閻婆惜の若い躰を、どう愉しもうかと抱くたびに考える。全身を舐《な》め尽し、局所を吸い、閻婆惜がほとんど気を失いかけるまで、責めたてる。

幼かった閻婆惜の躰は、ようやく開花しようとしていた。開きかけたそれを眺めるのも、単純に快感だった。宋江が好む床の技も、すっかり身につけている。ひとつの生きものが、自分の好みのかたちに育っていく。宋江は、ただそれを愉しんでいた。

それでも宋江は、閻婆惜に志を説いたりもするのだ。おまえの父が、どういう志を持ち、どういう働きをしていたか。そこからはじめて、国のありようまで説いてしまうのだった。

閻婆惜は、憑《つ》かれたように語る宋江を、よく光る眼でじっと見つめている。その眼に語りかけるだけで、宋江は満足だった。

「そういえば、朱貴の店におまえを連れていったことがあったな、婆惜」

「はい、まだ春でしたが」

閻婆惜を抱き、その躰の中に思うさま精を放つと、宋江はもう別のことを考えていた。

「朱貴には、陳麗という若い女房がいる。躰が弱くて、滅多に店に出ることなどないのだが、時にはあそこへ食事に行って、ついでに若い女が喜びそうなものを届けてやれ」

「ひとりで行くのですか、あたし」

「私が暇な時を見計らってもよいのだが、そうたびたびというわけにはいかん。唐牛《とうぎゅう》児《じ》に供をさせるといい」

唐牛児は宋江の従者で、役所がわずかだが給金を出している。まだ十四歳だった。

「唐牛児なんかより、旦那様と行きたいです、あたしは。市場で、紅などを買っておきますから」

「暇があればだ。私は、もう眠るぞ」

宋江は、酒を断っていた。花栄らと宴会をした時も、茶だけで過ごした。酒を飲めば、眠れる。閻婆惜の躰に精を放ったあとも、よく眠れる。

酒を飲むのは、林冲と再会した時だ。

それは決めたことで、途中で破ろうとは一度も考えなかった。

三

五十騎ほどを率いて、晁蓋は丘の上にいた。

全員が、面体《めんてい》を隠している。具足もすべて同じもので、誰かを見分けるのは馬に頼るしかなかった。

州庁に集められる、穀物の輸送隊が通る。警備の兵は、およそ百で、騎馬が五騎。すでに情報は入ってきている。

穀物が必要なわけではなかった。州庁のもので、警備の兵までついている輸送隊が襲われる。そういう、世情の乱れが必要なのだ。盗賊は横行していて、それで充分とも考えられるが、役所の荷を襲う者は少なかった。後の追及が厳しいからである。それよりは、商人の荷を掠《かす》めた方が安全である。

商人の方も荷を分けて運び、ひとつふたつ襲われることは、勘定に入れている。荷の中に、なんの価値もないものがある、というのも最近の傾向だった。荷車を三台連ねたものが、別々に十隊街道を移動する。その中の二隊か三隊の荷だけが本物であったりするのだ。

つまりこのままだと、世情の乱れにまでは到らないのだ。

はじめは、役所の荷だけを選んで襲っていたような梁山湖の山寨の賊徒も、最近では商人の荷しか襲わなくなっている。王倫という男が、頭領だった。

王倫は、以前はそれなりに義を掲げて賊徒をやっていた。王倫の説く世直しに魅《ひ》かれて、賊徒に加わった者も多いはずだ。

一時は、王倫と手を結ぼうかと考えたことがあった。世直しを掲げた賊徒が、それだけ人心を集めていたということだ。しかし、ただの盗賊にすぎないことが、次第にはっきりしてきた。

そういう時、宋江に会った。

宋江の世直しの計画は、実に息が長く、地道なものだった。それを語るほど心を許し合った時は、もう離れ難くなっていた。

何年もかけて、宋江は全国に同志を数人作っていた。同志になる可能性のある者は、数十人に及ぶ。話を聞くと、網の目のように、人の繋《つな》がりが全国を覆っているのがわかった。晁蓋には、できそうもないことだった。確かに、各地に同志はいる。しかしそれは集めたのではなく、偶然集まったものだ。

義の旗を掲げ、五百人で全国を駈け回れば、すぐに二万、三万の人間は集まる、と晁蓋は思っている。しかし、五百の核は必要で、それは精鋭でなければならなかった。そして、拠《よ》って立つ場所も必要なのである。

宋江との出会いは、晁蓋が思い描いていたものを、かなり実現に近づけることになった。それどころか、もっと大きな拡がりを持つようにもなったのだ。晁蓋が線で考えていたものを、宋江は面でとらえているというところがあった。面でとらえるために、人の網を全国に張りめぐらせることに、歳月と労力をかけたのだ。

拠って立つ場所が必要であるという考えも、宋江と一致していた。その場所として最も適切なのが、梁山湖の山寨である。二つの州にまたがっていて、管轄がうまくいっていないという利点まである。

ただ王倫がいた。三千もの賊徒も集まっている。それを排除するのは、たやすいことではないだろう。それに、三千の中には王倫の世直しの志に共鳴した者も数多くいるのだ。

一年前から、梁山湖の山寨のありようを調べてもいた。急峻《きゅうしゅん》な斜面に囲まれ、それ自体が天然の要害であるが、斜面の途中には充分な平地もあり、牧場《まきば》も畠《はたけ》も作れる。梁山湖には魚もいて、かなりのものをそこだけで賄《まかな》うことができる。補助の糧道がしっかりしていれば、五万の人間が暮していけるところだろう。

それぐらいのことはわかったが、ほんとうに詳しいことは、なにもわからなかった。山寨への入山の警備が、異常なほど厳しいのである。それは、王倫の性格を表わしているとも思えた。胆《きも》が小さい。猜疑《さいぎ》心が強い。王倫とは会ったことがないが、多分、そういう男だろう。

「四里まで近づいてきました」

斥候《せっこう》からの報告が入った。斥候に出ている者たちも加えて、ちょうど五十騎になる。全員が東渓村の若者で、かつては呉用の教え子だった。山中で、徹底的な調練を重ねている。そこで死んだ者が、四人もいるほどなのだ。官軍の精鋭とぶつかっても、同数ならば決して負けない自信はあった。

この五十騎を率いて、役所の荷を何度も襲った。激しい闘いになるが、重傷は負っても死んだ者はいない。

全員が、なんのための襲撃かも、理解している。東渓村が怪しまれないために、襲撃の場所はできるかぎり遠くにしていた。奪った物で蓄えられるものは山中に蓄え、穀物などは近隣の村々に配った。

この丘も、東渓村から百里は離れている。

あと二里まで輸送隊が近づいてきた、と二人目の斥候が報告に来た。警備の兵は、前に七十、後方に三十。前方の七十を潰走《かいそう》させれば、勝負はつくだろう。

世情を乱し、政府のだらしなさを際立たせるためという理屈はつけているが、実はこういう襲撃が晁蓋は好きだった。単純に、血が燃える。女体を抱いたりすることでは、得られない快感もある。

「一番隊、二番隊、囮《おとり》として正面を塞《ふさ》げ」

二十騎が、駈け出していく。

「三番隊は、後方の兵に備えろ」

残りは二十騎である。晁蓋自身が指揮し、決めの攻撃をかける。

樹間から、輸送隊が見えてきた。それが、丘の真下にさしかかってくる。二十騎が、前方を塞いだ。七十名の兵が、数を恃《たの》んで押し包もうとする。かなり強力な兵を護衛につけていたらしく、その動きは悪くなかった。槍《やり》で騎馬を防ぐ調練も、受けているようだった。ぶつかろうとした二十騎が、態勢を立て直すために後退している。

後退できるというのも、調練の成果だった。二十騎は、縦列になり、槍の攻撃を受けにくい隊形をとっていた。官軍の指揮官が、馬上から盛んに指示を出している。後方の押さえの十騎に対しても、二十名ほどを割《さ》いている。その十騎は、後方の三十と前方の二十の挟撃を受ける恰好《かっこう》になった。

二十騎が、駈けはじめた。槍が突き出される。槍の穂先が届く直前で、反転する。二十騎が、一本の鞭《むち》のような動きをした。二度目の突進。晁蓋は、剣を抜き放って叫び声をあげた。二十騎が、斜面を駈け降りる。平地を駈ける、二倍以上の勢いがついていた。あっという間だった。五十名を蹴散《けち》らし、牽制《けんせい》の十騎にむかっていた二十名も、背後から踏み潰した。それを見た後方の三十名は、闘わずして逃げはじめた。

追撃はしない。牛二頭に曳かせる、十八台の太平車《たいへいしゃ》を操る男たちを、逃げられないようにしただけだ。

荷は、十七台は穀物だったが、一台は銀だった。銀の太平車だけ、二十騎をつけて山中に運ばせた。奪ったものを蓄えるために築いた山寨で、いつも三十名ほどが守備をしている。残りの太平車は、途中の村に一台ずつ放置し、操っている男たちもそこで解放した。

翌早朝には、集結地点と決めた場所に、全員が揃《そろ》っていた。

こういう襲撃の指揮を、晁蓋自身がやることを、呉用は好まない。小競《こぜ》り合いでも、なにが起きるかわからないと言うのだ。

しかし晁蓋は、それをやめようと思ったことは一度もない。女を断て。酒をやめろ。そう言われる方が、ずっと楽だった。襲撃し、刃物と刃物が触れ合った瞬間の、身が裂けるような緊張を、晁蓋は捨てることができなかった。

集結を終えると、それぞればらばらに、東渓村へ戻って行く。それで、東渓村が賊徒の巣ということを隠していた。適当に、役所への反抗もし、賄賂も使い、つまりうまく立ち回っている。

晁蓋は、阮小五《げんしょうご》ひとりを伴い、東渓村への道からいくらかはずれた。街道を真直《まっす》ぐに進むと、梁山湖である。具足などは袋に放りこんで、馬の背にくりつけてあった。

「このまま行くと、朱貴の店です。晁蓋様」

阮小五が、馬首を寄せてきて言った。塩の道を手下に任せてから、阮小五はずっと晁蓋のそばにいる。

「朱貴という男に、私は関心がある」

「ああ、朱貴ですか。俺のところの魚を、よく買ってくれていました」

「いまは？」

「弟が、売りに行っているはずです。そう買い叩《たた》きもせず、といって鷹揚《おうよう》でもなく、いつも正当な値で買ってくれていました」

朱貴の店では、晁蓋も宋江と一緒に何度か食事をした。落ち着いた眼をした男だった、という印象がある。

朱貴が、梁山湖の山寨の王倫と組んでいて、情報収集をしていること。また山寨へ入るための窓口となっていることを、最近になって宋江から聞かされた。王倫の世直しの旗に共鳴したひとり、というわけなのか。

朱貴を通して、山寨に入ることを宋江は考えていた。山寨と戦をすることに大きな意味はないし、そこにいる兵の一部はいまも世直しの志を抱いていて、失うには惜しいからでもあった。まず、誰かを潜りこませるところからはじめるのだろう、と晁蓋は考えていた。人がいなければ、阮小五などがその役に適当だった。

「朱貴は、山寨の賊徒と繋がっていますよ、晁蓋様。なにしろ、あの近辺に競争相手の店ができても、すぐに賊徒に潰されてしまうのですから」

「わかっている」

「あの男には、ちょっと鋭いところもあります。魚を見る眼も確かですが、人を見る眼も持っています」

晁蓋が何者か気づくかもしれない、と阮小五は言っているようだった。気づかれても、もう構わない。そろそろ、あの山寨となんらかの関係をつける時期で、それを自分がやってもいいのだ。ただ、自分からは明らかにしない。あくまで、東渓村の保正でいい。

「宋江殿は、そろそろ人を集められるのでしょうか？」

先日、青州の軍人である花栄が、訪ねてきた。阮小五も、呉用と一緒に会っている。軍人としてどれほどの力量を持っているかは、清風山の三人から報告されていた。青州軍は、指揮官の秦明と、その花栄でもっているのだ。

精悍な表情をした男だった。ちょっと話をしただけでも、冷静な男であることはわかった。戦場でも、果敢に闘いながらも、全体の戦況を見渡して判断が下せる男だろう。花栄が軍を離れれば、心を許した部下が数十人はついてくると思えた。全国を巡り歩いている魯智深と武松が好誼《よしみ》を通じている男たちの背後には、多分数千人がいる。

しかしそれを一度に集めたりはしない、と宋江とは話し合っていた。一カ所に集まれば、官軍の集中攻撃をまともに受けることになる。分散したまま各地で力を蓄えるのが、いまは賢明な方法というのが結論だった。

考えてみれば、宋江とは現状分析だけではなく、ずいぶんと将来のことについても具体的に話し合っている。

「花栄殿がうまく兵を指揮してくれるので、清風山の燕順《えんじゅん》、王英《おうえい》、鄭天寿《ていてんじゅ》はだいぶ助かっているようです」

「まだ、人は集めん。宋江も私もだ」

「しかし、俺は呼び戻されました」

「不服なのか？」

「いいえ。闇の塩の道は、さらに複雑なものができたようですし、俺としては晁蓋様のそばにいられる方が嬉《うれ》しいです」

「私も、腕の立つ男がそばにいてくれるのを望む。村の若い者たちは、確かに五十人でかなりの力を発揮するが、ひとりきりで修羅場を潜《くぐ》っていない。それで、おまえを呼んだ。呉用は、腕の方はまったく当てにならないしな」

梁山湖が見えてきた。そしてすぐに、朱貴の店の屋根も林の間に現われた。

店には、旅人らしい客が三人いた。

「これは、晁蓋様ではございませんか」

「旦那、お久しぶりです。相変らず、うちの魚を買っていただいているようで」

「おう、阮小五ではないか。晁蓋様と一緒とは、どういう取り合わせなのだ？」

「人は、いろいろなところで縁というものができるのだよ、朱貴殿。阮三兄弟と、私はあることで親しくなった。まあ、そんなことはいい。魚肉の饅頭をくれ。野菜をつけて。それから酒も」

朱貴が頷き、調理場へ入っていった。三人の旅人は先を急いでいるらしく、豚肉をおかずに粥《かゆ》を啜りこんでいる。

「先日は、宋江様が呉用先生とともに見えられました」

「そうか。宋江も、東渓村の塾に関心を持っていたからな」

「宋江様は、呉用先生にやりこめられておられましたよ。いまの役人はなんだと言って。しかし、正論でした。青臭くはありましたが」

朱貴は、杯を置いて酒を注《つ》いだ。

「青臭いか。私は、そうは思わないな。正しいことを言ったら青臭く聞えるほど、この世は濁り、汚れている。違うかな？」

「それが、人の世でございましょう」

「それだけで片付けるのか。清河も濁る。しかし魚は生きる。当たり前のことだ。問題は、濁った水が腐りかかっていることだと、私は思う。腐った水の中で、魚が生きられるか？」

「しかし、人は生きております」

「息を詰まらせながらだ。私も、東渓村の保正などしているが、村人の息が詰まっているのを、なすすべもなく見ていなければならん」

「東渓村は、このあたりでは恵まれた村だと言われています。なにしろ、保正が晁蓋様で、役所ともやり合ってくださるので」

「ならば、ほかの村はもっとひどいのか。黙って、人はそこで生きているのか？」

「それは」

「私は、確かに役所とやり合ったりする。だから役所に睨まれてもいるだろう。しかしそれは、村人のためにやっているのではないのだ、朱貴殿。私は、私のためにやっている。生きている。そう思いたいからだ」

朱貴の、落ち着いた眼《まな》ざしが、束《つか》の間《ま》鋭くなった。しかしすぐに、静かな光が戻ってくる。

「饅頭が蒸しあがったようです、晁蓋様」

朱貴はそう言って、調理場へ戻っていった。

四

滄州の牢内のことは、牢役人に金を握らせれば大抵はわかった。

柴進《さいしん》は、十日に一度は役人から話を聞いた。

林冲が、牢内で困っていることはあまりないらしい。軍用の秣《まぐさ》作りなど、軽い作業に従事し、居住も囚人には最も居心地のいい小屋を与えられていた。食物も、柴進が差し入れる金で、充分に足りているらしい。

その様子は、手紙に認めて、戴宗という男がやっている飛脚に託した。宋江に届けるのである。宋江の手紙も、しばしば届けられた。心遣いに対する、礼の手紙がほとんどだった。どうしてくれというようなことはなにも書かれていないし、林冲に伝えたいこともなにもないらしい。

林冲と魯智深と、そして宋江。改めて、言葉で伝え合わなければならないことは、なにもないようだ。林冲が、安道全《あんどうぜん》という医師を伴って脱獄する使命を受けていることは、聞かされていた。

すぐに脱獄してこないところを見ると、安道全が動きたがっていない可能性が考えられた。牢役人たちの話では、養生所のようなものを作り、囚人、役人の区別なく、病《やまい》や怪我《けが》の治療をしているのだという。

林冲と安道全が近づいている、という話も聞いた。林冲が山に作業へ行き、見つけた薬草などを摘んでくるのだ。それで、二人はかなり親しい関係になっている。

あとは任せるしかない。柴進は、そう思いはじめた。柴進は柴進で、やらなければならないことが出てきたのだ。

しばらくはそれに忙殺され、年の終りに、柴進は従者五人を連れて青州へむかった。

途中で、滄州軍の検問に二度遭った。めずらしいことである。理由は、柴進が一番よくわかっていた。開封府から滄州にむかっていた役人が二人、殺されたのである。

殺したのは、柴進だった。高俅が、林冲に送ってきた刺客だ、という情報が開封府から届いたからだ。開封府には、晁蓋も宋江も間者を入りこませていて、いまそれをひとつにまとめているところらしい。

夜道で襲って、素速く殺したので、犯人が誰かという見当もついていないようだった。普通なら、盗賊の仕業で終ってしまうところだが、役人で、しかも高俅が送ってきた者だった。

高俅という、胆の小さい男は、林冲が生きているかぎり安心できないらしい。

柴進が、検問で止められることはなかった。指揮をしている軍人はほとんど顔見知りで、柴進の屋敷にたかりに来る者もかなりいたのだ。この時とばかり、柴進の一行を真っ先に通した。

急ぎ旅だった。従者の五人も、馬である。

一日に百里以上駈け、四日で青州に到着した。

盧俊義は、燕青《えんせい》とともに、すでに到着していた。花栄が宿に来ることができるのは、任務のない夜だけで、話し合いは朝まで続いた。

闇の塩の道を、北と西へのばすのである。それも開封府に集められた塩ではなく、密《みつ》州《しゅう》から直接流す。当然、青州軍の動きが最も厄介《やっかい》になる。滄州に入れば、穀物の道を使え、運んだ塩は柴進の屋敷の近くの山に貯蔵する。柴進は、その道を整えるために、忙殺されていたのだった。

「この闇の塩の道ができれば、最初に思い描いていたことは、ほぼ完成する」

塩の道は、盧俊義の命の道でもあった。北京大名府の大商人である盧俊義が、志の成否を賭《か》けて、塩の道に挑んだのだ。どれほどの歳月を要したのか、柴進は知らない。

「最も大胆な方法は、州庁の荷ということにして、軍が運ぶことです。それならば、私が運ぶ兵の選抜もできます。州庁の書類が必要となりますが」

花栄が言った。州庁の書類を取るのは無理だ、と柴進は思った。下手をすれば、州境で荷が滄州軍の手に渡る。

「もうひとつの方法は、北への軍需物資とすることです。これは、日常的に運ばれているし、警備もそれほどではない。街道の関を通過する時に、やはり書類が必要になります」

「書類があればどれほど楽か、よくわかっている。のどから手が出るほど、私もそれが欲しい。しかし、すぐには無理だ。実は、呉用に心当たりがあるらしく、いま当たって貰《もら》っている」

「ほう。それは、偽造が巧みな者がいる、ということですか、盧俊義殿？」

「そうだ、柴進。ただ、偽造したことはないらしい。その男ならできるだろう、と呉用が見当をつけただけだ」

「書類があれば、官の道を安全に使えます」

「まさしく、そうなのだ。呉用には、なにがなんでもと言ってあるが、説き伏せるのに時がかかるかもしれん。済州《せいしゅう》の人間らしい」

「鄆城から遠くないな。呉用殿も、日参できるだろう」

「ならばいいのだがな。狷介《けんかい》な男ではあるらしいのだ」

「つまり、すぐにその偽造の書類を当てにはできない、ということですね」

「そうだ、花栄。しかし、どうしても青州の軍の管轄区を安全に通さなければならん」

花栄が、腕を組んだ。

「清風山の三人は、これ以上は使えん。開封府への塩の道も、複雑になっているからな」

「わかります」

「晁蓋も宋江も、いまは本気で考えているが、あの二人にこういうことで智恵《ちえ》が出るとは、私には思えん」

柴進は、花栄と顔を見合わせて、なんとなく苦笑した。

青州への見物の旅をやった時、花栄とは一度会った。花栄と会うために、その旅を考え出したようなものだ。一行の中には、州庁の役人や州軍の幹部も入っていた。花栄に会うのに、なに憚《はばか》ることもなかった。青州軍指揮官である秦明の、次に位置する立派な将校なのだ。

「ただひとつ、方法があります、盧俊義殿」

「聞かせてくれ」

「私が、青州巡回の指揮をする時に合わせて、荷を運ぶのです。つまり私の一存で、重要な荷だということにして、滄州の柴進殿の手に渡すのです。しかしこれは月に一度。そして何度も続けられません」

「それでは、おまえがきわめて危険になるぞ、花栄」

「仕方がありません。堂々としていて、発覚すれば逃亡します」

「つまり、肚《はら》を決めるわけか。青州での物資の移送は、それ以外にはできないのだな？」

「難しいし、危険です。いまは特に、塩に敏感になっている時ですから」

「かたちについては、考えている。酒の甕《かめ》の底の半分に塩を隠せるように工夫はしてあるのだ。当然、上の方は酒が入っている」

「わかりました。とにかく私の青州巡回に合わせて、荷を入れてください」

地図で、荷を運ぶ道を決めた。そうしておけば、花栄の巡回も、その道と合わせることができる。それにしても、危険きわまりなかった。

「書類の偽造を急ぎたいが、それだけでは駄目なのでしょう、盧俊義殿？」

「印鑑がいる。途中で受ける証判も。そっちの方も、済州に名人と呼ばれる男がいるらしい。金大堅《きんだいけん》という名だそうだ。呉用は、こちらの心配はしていなかった」

「とにかく、花栄にはまだ青州にいて貰わなければならないのですよ」

「それは、呉用もよくわかっている」

「鄆城で、ほかに新しい動きは、なにかあるのですか。花栄も、この間、鄆城に寄ったのだったな」

「晁蓋殿に会ったのが、私にとっては新しいことでした。人の心を惹《ひ》きつける方です。

お会いしている間、私の気持はふるえていましたよ」

「晁蓋と宋江は、梁山湖の山寨に手をのばそうとしている。いよいよだが、ここで急ぐつもりもないようだ」

「あの山寨には、数千の賊徒がいる、という話でしたが」

「その賊徒の、質のいい部分も含めて、手に入れたいのだよ、柴進。先《ま》ず、誰かを潜りこませるところから、はじめるのだろう」

「誰かな」

「明らかに追われている。そういう者でなければ、山寨の信用は得られないだろう、と宋江は言っていた。王倫という頭領は、相当に猜疑心の強いやつらしい」

「豹子頭《ひょうしとう》林冲」

柴進が言うと、花栄がはっとしたように顔をあげた。

「禁軍槍術《そうじゅつ》師範でありながら、罪を被《き》せられて入牢。それも、地下の生きては帰れぬといわれている牢だ。そこを生き延びて、棒叩きのあと滄州へ流刑。滄州の牢を脱獄して、山寨への入山を請えば、これは王倫という頭領も断れまい。そういうところまで読んで動く人だと思う、宋江殿は」

「しかし、手がこんでいるな。罪人なら、たやすく作れるではないか、柴進」

「猜疑心の強いやつには、それなりの理由が必要でしょう。聞けば、山寨への入山をいま厳しく制限している、というではありませんか」

「宋江殿は、林冲と武松には、ことのほか厳しかった。二人とも、大変な豪傑ではあるが、どこか弱いところがある、と見ていたようです。これは、魯智深との話で出たことですが。なにか試練が必要だと、宋江殿は思われたのかもしれません」

花栄が言った。

「林冲が捕えられた時、魯智深は鄆城を離れるように宋江殿に勧めたそうです。林冲の口から宋江殿の名が出れば、すぐに捕縛ということになったでしょうから。しかし、宋江殿は、動かなかった」

「わかるな、なんとなく」

「暢気な顔をしていますが、宋江殿はいまも酒を断っている」

「試練を与えているか」

盧俊義が、腕を組んで言った。

林冲は、どこか荒《すさ》んでいた。柴進の屋敷で棒の技を見せた時も、平然と相手を殺してしまいそうになったのだ。あれが、林冲の弱さなのかもしれない。

「宋江殿と林冲の心は通じ合っている、と私は思っています。魯智深も。林冲には、自分を見つめ、弱さを克服する時が必要だったのではないでしょうか」

「人にはそれぞれ弱さがあるのだろうが、豹子頭林冲の弱さは、また凄絶《せいぜつ》ではあるな」

柴進は、棒を構えた時の林冲の姿を思い浮かべていた。月の光の下で、あれは魔もののように見えた。

「武松にも、林冲と似たところがあるのか？」

「私には、それはわからないのだ、柴進殿。ただ、魯智深は、いつも心配している。素手で立合って、武松に勝てる者はいない、と私は思っているのだが」

「強さと弱さか。人間というのは、厄介なものだな、花栄」

「そう思う。志があればいい、というものでもないのだな」

「青州の秦明将軍とは、どういう男だ？」

盧俊義が言った。

「苛烈すぎる性格を除けば、ほぼ完璧《かんぺき》な軍人と言ってよいでしょう。あれほどの将軍を、私はほかに知りません。若手では、汝寧州《じょねいしゅう》の、呼延灼などもいますが」

「ともに、地方軍だな」

「禁軍にあれほどの将軍がいたら、高俅などとうに消えているでしょう。酆美や畢勝という軍人は、童貫軍の将軍であり、童貫の命令がなければ動きません。北に抱えている外敵に地方軍の将軍を当てれば、状況はずっとましになるとも思います。開封府では、秦明や呼延灼という将軍たちに、手柄を立てさせたくないのではないか、と思いたくなります」

「いずれ、われわれの敵になる相手だな」

「高俅などより、ずっと警戒すべき相手ではあります」

「不満は、抱いているか。あるいは、開封府に対する不信感とか」

「それはあるでしょうが、しかし軍人ですから」

「そうだな」

「この国は広い。そう思いませんか、盧俊義殿。軍の人材だけでも、花栄が言った二人の将軍のほかにも、ずいぶんといるだろうと思います。まさに、雲のごとくいるでしょう。われわれはこれから、その国と闘おうとしている」

「小さな叛乱は控え、時を待った。はじめたら、一歩ずつやるしかない」

盧俊義が、手を打ち鳴らした。

燕青が、酒を運んできた。盧俊義の従者である。やさ男のくせに、腕は立つ。男色の噂の真偽は知らないが、盧俊義が女に関心を持たないのは、いいことだと柴進は思っていた。柴進には四人妾がいるが、どれもほんとうに心を傾ける相手にはなっていない。

「私の従者たちと飲んでいろ、燕青」

「いえ。私は別間に控えておりますので」

「そうか、まあ、好きにしろ」

燕青が出ていく。

「気を悪くするな、柴進。ほかの男と親しくするのを、私が好まぬのだ」

苦笑しながら、盧俊義が言った。

「ところで、安道全という医師は」

「それだ、花栄。林冲も、なかなか口説き落とせないでいるようだな」

「優れた医師なのだろうな」

「それは、私が知っている」

盧俊義が口を挟む。

「北京大名府で、薬を売っていて捕えられた。役人と手を結んだ医師の差し金だな。効きすぎるのだよ、薬が。面白い男だと思っていたが、宋江が医師を捜しているのなら、なんとかしておくのだった」

「いささか変った男でもあるようで、病人や怪我人を診《み》ていれば、それでいいというような男らしいのだ。牢内でも病人などを診て、重宝されているのだと思う」

「確かに、これからは優れた医師は必要になるな。戦では必ず怪我人が出るであろうし。宋江という男は、どうもわれわれには見えない先まで、見えてしまうようだ」

「林冲は、そんな男と合うだろうか？」

「ここで心配してみても、はじまらん。それより、高俅が林冲に刺客を送っている。まさかとは思うが、牢内だ。手枷《てかせ》と足枷でもされようものなら、いかに林冲といえども、防ぎきれるかどうか」

「それも、心配してみてもはじまらんではないか、柴進」

「まったくです。私は、高俅が送った者を二人ばかり始末しましたが、これからは自重しましょう。なにしろ、塩の道をしっかりとつけなければならん」

「これは、いわばわれらの生命線となるものだ。北京大名府にいて私がすべて統轄するが、私になにかあった時でも、塩の道だけは存続する方法を考える」

酒が入ってきたので、話はいくらかくだけてきた。梁山湖の山寨の話になる。

「誰も、あそこに入った者がいないとはな」

「入山を請うて訪ねても、大抵は入口で拒まれるのですよ、盧俊義殿。宋江殿はそこのところを考えて、いわば林冲に箔《はく》をつけさせているのではないのですかね」

「天然の要害であることは、外から見てもわかる。相当な広さもある。拠って立つ場所にするには、充分だろう。あそこに義の旗を掲げれば、全国から人も集まる」

「しかし、それだけでいいのですか？」

「なにがだ、花栄？」

「天然の要害なるがゆえに、そこを出る危険を冒したくなくなる。いまの王倫を頭領とする一党が、いい例です。しかし、われわれの目的は、政府を打ち倒し、この国を新しくしようということではありませんか」

「まあ、その点に関しては、晁蓋や宋江と、王倫の器量は較べものにならん、と私は思っている。おまえも、宋江殿を信じているのだろう、花栄？」

「当然です、盧俊義殿。ただ、政府を打倒するために、ひとつにまとまるのは危険だ、と思うのですよ。官軍は腐っていますが、それでも強力です。さきほど申しあげたような将軍たちもいます」

「全国各地で叛乱が起き、その中心が梁山湖の山寨であるべきだ、と言っているのだな、花栄？」

「そうです」

「そこは、晁蓋も宋江も考えていると思う。各地に賊徒の山寨がある。その中には、われらと好誼を通じているところもあろう。それは、呼応して闘ってくれるはずだ」

官軍の実力を、花栄はよく知っているのだ、と柴進は思った。そして、決して侮《あなど》るべきではない、と思っている。

「私には、どうも蔡京《さいけい》という頂点にいる男が、いまひとつ読めませんな、盧俊義殿」

「恐しいところがある。帝《みかど》が望めば、高俅のような男に、禁軍を任せたりする。同時に、童貫元帥に大きな力を与える。帝をうまく操りながら、この国を自分のものにしようとしているように、私には思える」

「童貫元帥の軍が最精鋭であることは、秦明将軍も認めています。童貫は地方軍にも眼を配っていて、副官のひとりの鄷美は、東平府《とうへいふ》の上級将校でした。誰も注目していなかったのに、数万の兵を見事に指揮します。そういう最精鋭が開封府にいるということで、軍のありようもなんとなく納得できるようなのです」

花栄は朝からの任務があるのか、あまり酒を飲もうとしなかった。

「蔡京がそこまで計算しているとしたら、これはしたたかだ。そして多分、ほんとうに計算しているだろうな」

「蔡京の直接の配下に、こわい男たちがいるのだと林冲も言っていた。林冲の捕縛も、その中のひとりの指図だろう」

「誰も、甘く考えてはいないのだ、柴進、花栄」

盧俊義は、眼の下の隈《くま》にちょっと手をやった。

三日で、話し合いは終った。

密州から出た闇の塩は、いまのところ間違いなく北へも西へも運ばれる、と信じることはできた。柴進は、滄州からさらに北への道を、これから作ればいい。

帰路は、急がなかった。十日かけて、青州から滄州に入れれば充分だ。

どの村も、どの城郭《まち》も、一見のどかに見える。しかし、どこかに不満が澱《おり》のように溜っているのを感じた。それは民の眼の中にあり、仕草にあった。役人は、幅を利かせている。主従六騎の柴進の一行は、しばしば止められて訊問《じんもん》を受けた。そういう時の役人は、必ず数十名の官軍の兵を後ろに従えている。

滄州ではなかった。柴進の名を知っている役人は、ほとんどいない。銀をいくらか握らせることで、柴進は訊問から逃れた。

「腐りきっている」

何度か吐き捨てるように呟《つぶや》いたが、忍耐を破ることはなかった。小役人のひとりふたりを打ち倒したところで、いまはなんの意味もない。大木の枝葉の先についている虫を、払い落とすようなものなのだ。ほんとうに腐っているのは、大木の幹だった。

滄州へ入ると、柴進を知らないという上級の役人はいない。

想定している塩の道を、柴進はゆっくりと進んだ。

すでに、なにかがはじまっている。自分が望んでいたものが、すぐそばまで来ている。

何度も、そう思った。

宋《そう》という国の、名家。高貴とさえ言われる血。役人が無断で屋敷に入ることなど、決して許されていない家柄。これからはじまろうとしていることにとって、それがどれほどの意味があるのか。

泥にまみれたかった。いや、血にまみれたかった。ひとりの男として、生き、闘いたかった。待っていたそれが、いまはじまろうとしている。

白い馬は、遠くからでもわかるのだろう。

街道を往く人々は、みんな柴進に道をあけた。それは役人も変らなかった。こんなことをやっていられるか。昔から、よくそう思った。それも、もう終りになる。雲のたれこめた空に、柴進は馬上から眼をやった。なにか落ちてきている。白い。雪だな、と柴進は思った。

地《ち》霊《れい》の星

一

安道全《あんどうぜん》は、きれいな絵を描いた。きれいというより、懸命といった方がいいのかもしれない。葉の色、茎にどうやってついているか、葉の先がどういうかたちをしているか。茸《きのこ》についても、同じだった。絵具がないので、墨《すみ》で細かく色が書きこんである。言われたものの半分ほどしか、林冲《りんちゅう》には見つけられなかった。

山の作業はつらく、牢《ろう》内で睨《にら》まれている者が駆り出されることが多かった。建材や薪《たきぎ》にする木を伐《き》り出すのである。

林冲がその作業に志願したのは、安道全が薬草を欲しがっているからだった。もう、四度目の志願になる。季節が変れば薬草も変るのか、行くたびに安道全は林冲に絵を描いてみせるのだった。

山に行くまでは、手枷《てかせ》をつけられている。伐採の現場に着くと、足枷である。二十名ほどの見張りの兵もいる。

伐り倒さなければならない木の数は、決められていた。それができずに、倒れてしまう者がいる。じっとしていればそれで済むわけではなく、伐り倒せなかった木の数の分だけ、牢へ帰ってから板作りをやらされる。それは、木を伐り倒すより、つらい作業のようだった。

林冲は、特に願い出て、七十斤（約十五キロ）の最も大きな斧《おの》を遣うことを許して貰《もら》った。それで決められた数の木を伐り倒すと、薬草を捜すことができるのである。

そんな斧をどこまで遣えるのか、見張りの兵もはじめは興味を持って見ていたが、途中でみんな呆《あき》れた。

薬草を捜す時も、足枷はつけられている。見張りの兵も二人ついてくる。しかし、安道全の薬草を採っていることを知っているので、あまり文句はつけない。薬草を入れる小さな籠《かご》を、腰につけることも許されていた。牢内では、囚人だけでなく、牢役人も病《やまい》や怪我《けが》を診《み》て貰ったりしているのだ。おまけに、無料だった。

集合の合図が出るまで、林冲は地を這《は》い回った。とにかく、絵と似ている草は、すべて根を掘り起こし、葉はほとんど手当たり次第に採っていた。

手枷をされ、足枷をはずされる。帰りは下りで、その方が楽だと言う者もいたが、林冲は籠に集めた草を落とさないようにしなければならない。手枷をされているので、しっかりと押さえることもできないのだ。

伐採した木は、別の日に別の囚人が動員され、枝を払い、決められた場所に運ぶ。伐採より、そちらの方が楽な作業だと言われていたが、移動を続けるため、草を捜す暇がないのだ。

安道全には、山の作業は無理だろう。もしかすると、登ったところで倒れてしまうかもしれない。躰《からだ》が、そんなふうにできていないのだ。それでも、夏に囚人が数十人腹痛を起こした時は、三日間昼夜兼行で治療に当たり、大して疲れた顔もしていなかった。

牢内に帰ると、ようやく手枷がはずされる。

林冲の房は中庭の隅に二棟並んだ長屋の一室で、開封府《かいほうふ》の地下の牢と較《くら》べると、天と地だった。柴進《さいしん》が、相当の金を使ったのだろう。そこにいれば、牢内にかぎってはほぼ自由に動き回ることができる。

林冲は、手足を洗うと、草の詰まった籠を持って、安道全の房へ行った。安道全は、蠟燭《ろうそく》の明りでなにか書きものをしていた。蠟燭を使うことを許されている囚人は、安道全ほか数人しかいない。林冲も、蠟燭は許されていなかった。手持ちの銭で、多少の肉などを牢役人を通して買える程度である。銭は、定期的に柴進から届けられていた。

「これだけか、林冲？」

人の苦労など、労《ねぎら》おうとはまるでしない男である。林冲より一歳年長だが、医師としては若い。

「まったく、雑草などを採ってきて」

一本でも役に立たない草が混じっていると、吐き捨てるようにそう言う。しかし今回は、多少いいものが混じっていたらしく、木の床に並べると、蠟燭の光を当ててじっと見入りはじめた。

「この根だ。これをよく見ておけ、林冲。この量の十倍は欲しい」

「そんなことを言っても、無理だ。山へ行ったからといって、勝手に歩き回れるわけではないのだぞ」

「無理であろうとなんであろうと、必要なのだ。これは、解熱の薬になる。これからもっと寒くなり、風邪の熱で苦しむ者も出てくるだろうからな」

「ここは牢内なのだ、安道全。本来なら、こんな薬草すら手に入るはずのない場所だ」

「おまえが、採ってくるではないか。だからおまえに言っている」

伐採の作業が、常時あるわけではなかった。木材が必要になった時に、行われるだけである。ふだんは、林冲の仕事は秣《まぐさ》作りだった。

「水に二日浸す。そのあと陽に干し、粉にする」

「私にやれと言っているのか、安道全？」

「秣の係など、楽なものだろう。粉にする時には、手伝ってくれ」

勝手であり、子供がものを欲しがるように、なんでも欲しがったりもする。しかし会った時から、林冲はこの男が嫌いになれなかった。

この牢に入って最初にやったのは、脱獄の道を見つけることと、この男に会うことだった。多少手荒い方法なら、脱獄はできる。しかし、この男も連れていかなければならないのだ。

日が経《た》って、もう冬になった。

脱獄の話を、林冲はまだ安道全に切り出せないでいた。なんのことだ、という顔をされるのがわかっているからだ。おかしな男だった。自分がなぜ投獄されたかについても、それほどの関心は持っていない。とにかく病人か怪我人がいれば、それを診ることに熱中してしまうのだ。そういう意味では、腐った禁軍《きんぐん》の中にあっても、武術ひとすじだった王進《おうしん》と、どこか似ているのかもしれない。

牢内の暮しは、単調だった。時に山の作業に志願はしてみるが、それ以外の日は、ただ秣にするための草を干すのだけが仕事である。しかし、過ぎる日々は残酷だった。張藍《ちょうらん》を思い出すことはあっても、のたうち回って苦しむことはいつかなくなっていた。時には、忘れている自分を発見して、身の置きどころがないような気分にもなる。

志だけは、忘れていなかった。ほかのすべては遠くなっても、志は熱いものとしてまだ自分の中にある。宋江《そうこう》は、それをわからせるために、自分を自由にしなかったのではないか、と林冲は考えたりもした。宋江や魯智深《ろちしん》の動きが、どれほどのものになっているのか、牢内ではまるでわからなかった。晁蓋《ちょうがい》という同志ができた。それによって、柴進の助力を受けることができて、牢内でも楽にしていられる。

そんなことは、どうでもよかった。先のことを、考えるのもやめにしようと思った。いまは、安道全の、まるで子供のような要求の、一部にでも応《こた》えられるように力を尽す。安道全のためではなかった。自分のために、やっていることだと思った。ささくれた心の痛みが、それでどこか癒《いや》されるのだ。

陽に干して乾いた草の根を、粉にしてしまうのは結構な手間だった。平らな石の上で、まず丹念に叩《たた》き潰《つぶ》し、それから擂《す》る。ちょっとでも土にこぼすと、安道全は怒りはじめる。そのくせ、自分ではなかなかうまくできないのだ。

もうひとり、粉を作らされている者がいた。白勝《はくしょう》という、小柄な若者だった。長屋の一室は与えられず、七、八人の房に入れられているが、なぜか安道全が気に入っていた。それで、手伝いの時だけ、房から出される。

「今度ばかりは、無理だな、どう考えても」

呟《つぶや》くように、白勝が言っている。

「林冲様は、どう思われます？」

「安道全に、なにか頼まれたのか？」

白勝が頼まれるのは、多分盗みだろう、と林冲は思っていた。もともと盗《ぬす》っ人《と》で、しかも敏捷《びんしょう》である。

安道全が、牢役人に依頼しても、さすがに許されないものは多くあった。それを、白勝は牢内のどこかから盗んでくるに違いなかった。たとえば、茶碗、壺《つぼ》、晒《さら》しの布、絹糸、針。そういうものを箱に入れ、安道全は床下に収《しま》いこんでいる。巡察官に見つかると、没収されるからだ。

いろいろ持っているなと思ったが、考えてみればそんなものを手に入れる才覚は、安道全にあるはずはなかった。

「刃物ですよ。短くてもいいから、よく切れるものを二本」

それは無理だ、と林冲も思った。囚人が刃物を持つことが、ないわけではない。そういう時は、牢役人の厳重な監視がついている。山中の木の伐採の時の斧でもそうだ。

「安道全は、刃物でなにをやるつもりなのだ？」

「さて、あの先生が考えていることは、俺にはわかりません」

「おまえは、あの先生に頼まれたものを盗んでくるのが、仕事なのだろう？」

「人聞きが悪い。牢内で、盗まなくてなにが手に入るというのですか？」

「じゃ、刃物をどこかで盗んでこい。剣でもなんでもいい」

「頼まれたのは、小さなものですよ。せいぜい指一本ぐらいの長さですね。先生、指を突き出して俺に言ったんですから」

「小さなものを大きくするのは難しいが、大きなものを小さくはできるぞ」

「ほんとうですかい？」

刃物は折れる。それどころか、斬《き》ることもできる。林冲は、かつて一度、王進が剣で剣を断ったのを見たことがある。一瞬の気合のようなもので、断った方の剣は刃こぼれもしていなかった。

「鍛冶屋《かじ》のところにある、毀《こわ》れた剣ぐらいなら、盗めますね」

武器で、毀れたものを牢内の鍛冶で直している。囚人の中に、鍛冶屋がいて、その男がほかの囚人を指図しながら、直したり作り替えたりしているのだ。

「鍛冶の監視は、厳しいぞ」

「作業している間だけです。夕方、作業が終ると、錠を降ろしてしまって、誰もいないんです。錠は開けられますよ、俺」

「なら、盗んでこい。できたら、二本あるといい」

「夕方、俺が房の外にいなきゃ、話になりませんや」

「安道全に願い出て貰え。薬草を煎《せん》じるのに、夜中まで助手が必要だとな。盗んだ剣は、私の小屋に放りこんでおけばいい」

「なぜ、二本なんですか。それだけ危険は大きくなるんですよ」

「一本は、すぐに返す」

「ふうん。まあいいや。林冲様がそう言われるなら、なんとか二本持ってきます」

白勝には、白日鼠《はくじっそ》という呼び名があった。顔も、どこか鼠《ねずみ》に似ている、となんとなく思った。

林冲の小屋に剣が二本放りこまれてきたのは、それから二日後だった。

一本は刃こぼれがひどかったが、もう一本はいくらかましだった。

林冲は、刃こぼれのひどい方を、土間の土に半分埋めた。王進がそうしていたからだ。

そして、もう一本の剣を構えた。心気を澄ませる。剣ではない、別のなにか。心にいまだわだかまり続けているもの。斬ろうとしているのは、それだった。全身に、気が満ちてきた。気づいた時は、片膝《ひざ》立ちになり、二度剣を振り降ろしていた。

土に埋めた剣は、三つになっていた。

剣を一本取り返しにきた白勝は、三つになった剣を見て唖然《あぜん》としていた。

「早く返してこい。錠を降ろすのも忘れずにな」

短い刃が二本、柄《つか》が付いてやや長いものが一本。それから林冲は、平らな石を捜してきて、一本一本それを研いだ。短い二本は、安道全が指示したかたちに、石で研いだ。

仕あげだけ、白勝が調理場から掠《かす》めてきた砥石《といし》で、きれいに研ぎあげた。いくらか長い一本は、刃だけ研ぎ、床下に隠した。

「ずいぶんと、時間がかかったではないか」

安道全はそう言い、囚人のひとりを呼んで、その刃物で首の瘤《こぶ》を切り開いた。瘤を取り出すと、絹糸で傷口を縫った。切れ味については、なにも言わない。そういう時、安道全は満足しているのだ。

石で研いで、五日かかった。昼間は秣の仕事があるので、夜を徹してやったのだ。それでも、安道全は自分が要求したものが遅いと不平を並べている。

剣で剣を斬ることで、林冲がほんとうに斬りたかったものは、斬れていなかった。

二

雪が降りはじめていた。

それは二日続き、膝ほどの深さまで積もった。山で木を伐り出す作業は、中止されている。林冲は、安道全に命じられた薬草作りに没頭していた。

できあがった薬は、壺に入れておく。夕刻になって、安道全はそれを検分し、これ以上はあるかというようなひどい罵《のの》り方を、林冲にするのだった。

「自分でやれ」

林冲は時々そう言うが、薬師《くすし》の仕事だと、安道全は平然としている。罵りにも、そういう態度にも、林冲はもう馴《な》れていた。とにかく、安道全の治療は、林冲の眼から見てもよく効いた。怪我の治療については、林冲にもある程度わかるが、神技のようだと安道全の処置を見て思うこともしばしばだった。禁軍の中にも、これほどの医師はいなかった。

無理な要求も、罵りも、当たり前だという態度も、すべて治療のためで、悪意でも我《わが》儘《まま》でもないことは、わかっていた。

薬草作りには、白勝も加わっていた。白勝が長屋の部屋に移れないのは、牢内でも盗みが何度か見つかっているからだ。

「寒いなあ。房は、どうしようもなく寒くて、五、六人が抱き合うようにして眠ってます。あれじゃ、いずれ凍え死ぬ者が出てくるな。そうやって死ねば、役人が検分して、ただ穴の中に捨てられるだけなんです。どう思います、安先生？」

「その屍体《したい》が欲しいな、私は」

「へえっ、どうするんですか？」

「腑分《ふわ》けをする。人間の躰で、まだよくわからないところがあるのだ。十や二十の腑分けでそれがわかるとも思えないが、それでもやらないよりはましだ」

「俺が死んでもですか？」

「その屍体は、もうおまえではない。ただの物なんだよ。かつて人間だったという、物だ。おまえの屍体も、かつて白勝だったという物だからな」

「そんな、薄情じゃありませんか」

「いま、おまえをぶつと痛い。それは生きている白勝という人間だからだ。死んでぶっても痛くはない。それは白勝でも人間でもなく、物だからさ」

薬草を煎じるための火を使うことが、安道全の部屋では許されていた。だから暖かい。林冲は、薄い蒲団《ふとん》を一枚だけ持っている。牢役人に金を渡し、手に入れたものだ。安道全にも、同じようにして手に入れてやった。

長屋は小屋と呼ばれていたが、そこに入れられているのは、二棟で五十人ほどだった。ほとんどが、上から下までの牢役人に金を使っている。州や県の上席の役人の口利《き》きというのもある。安道全のように、医師の腕を認められて小屋に入っているような者は、ほかにひとりもいない。

小屋に入ると、昼間は出入り自由だった。といっても、それは牢内の中庭にかぎられている。中庭では、囚人たちがさまざまな作業をしているが、それについての監視は厳しい。安道全の薬草作りも、はじめは監視がついていたようだが、いつの間にか当たり前のことになって、いまは林冲や白勝が助手につくことも認められていた。

安道全と白勝の取り合わせは、一見不釣合いに見えた。投獄される前からの関係だということは、やがてわかった。

安道全には、文律《ぶんりつ》という師がいたという。もともと江南《こうなん》（長江《ちょうこう》の南）で医院を開いていて、安道全は幼いころから弟子入りしていたのだ。やがて文律は、新しい医術を求めて旅に出、北京大名府《ほっけいたいめいふ》に到《いた》ったところで、病死した。食物を得る才覚すら安道全にはなかったが、仲間の怪我を治療してやったのがきっかけで、白勝と知りあったのだ。白勝の盗みで、一年は暮していたらしい。それから、薬草を売るようになった。安道全が作ったものを、白勝が売って歩くというかたちだったようだ。安道全は、白勝に対して弟のような感情を抱いていたのかもしれない。白勝もまた、安道全を無器用な兄と思っていたのか。

安道全が、捕縛された。いかがわしい薬を売ったという罪だが、ほんとうは効きすぎる薬を売って、ほかの医師の反撥《はんぱつ》を受けたためだという。

白勝は、それから数カ月後、別の盗みで捕縛された。滄州《そうしゅう》の獄中で再会できたのは、偶然だったようだ。

牢に入ると、林冲はまず白勝に近づき、安道全がなによりも薬草を求めていることを知ったのだった。

「安道全、おまえは牢の外で、もっと多くの人々を相手に治療をしたい、とは思わないのか？」

「どこにいても、私は医師だ。それに、牢内では、食べることに煩《わずら》わされなくて済む」

安道全のもとには、白勝がわずかな肉と野菜を運んできていた。それと牢で出される飯で、腹を減らすことなどなかったのだ。林冲が親しくなってからは、肉や野菜はさらに増えている。

つまり牢内では、安道全は治療と自らの医術を磨くことに没頭できるというわけだった。こういう人間に脱獄を決意させるのは、とんでもなく厄介《やっかい》なことだった。

宋江は、文律と安道全の旅の途次で、二人を知ったのだろう。北京大名府までなら、鄆城《うんじょう》も通ったはずだ。そして調べたら、文律は死に、安道全は滄州の牢にいた。

宋江が、医師を必要としていることは、よくわかっていた。戦《いくさ》では、死者よりも多く、怪我人が出る。きちんとした治療ができる者がいないために、怪我人をむざむざ死なせたくはないと思っているのだろう。

そこに、林冲が滄州の牢に送られるということになった。禁軍から離れた林冲には、そのまま逃亡したとしても、やることはあまりない。安道全を伴って脱獄してこいという宋江の考えを、林冲はよく理解できているつもりだった。

「しかしな、安道全。牢内にいるのは、大抵は世の中の役に立たないか、害をなす人間ばかりだ。牢の外には、病を克服して生き延びれば、どれほど世の役に立つかわからぬ人間が、数えきれないほどいるのだ。そちらの方に、おまえの医術を使おうという気にはなれないのか？」

「命は、どんなものでも命なのだ。命に差はなにもない。私はいつも、その命とむかい合っている。ほかのことは、私が考えることではないな」

「先生、そこのところがちょっと違うと、いつも俺は言ってるでしょう。先生は、もっと世の中の役に立つ人なんです。それが、牢内で医師なんて、俺にゃ納得できないんです。それに、先生が牢に入っていなくちゃならない理由なんて、なにひとつないんですぜ」

白勝が口を挟んできた。

三人で、小屋の前に並んで薬草を作っている。それは、この牢ではありふれた光景になっていた。しかし、雪である。昼間から、小屋に籠《こも》り続けていた。見回りの牢役人も、薬草の臭《にお》いに辟易《へきえき》したようで、ちょっと覗《のぞ》いただけで戸を閉めた。

「白勝、私はおまえと一緒にいられるだけで、気持がどこか落ち着くのだ。牢を出てしまったら、おまえはいない。刃物を二本調達してくれる。それも、おまえでなければできないことだろう」

白勝が盗んできたのは、刃こぼれをした剣で、それを小さな二本の刃物にしたのは、林冲だった。そんなことも、この安道全という男の頭の中では、消えてしまっているのだ。それを改めて思い出させようという気も林冲にはなく、ただ苦笑するだけだった。

それに林冲が作りあげた二本の刃物を、白勝は、自分がいたからできた、と安道全には言っていることも考えられた。白勝は、その程度の小悪党ではある。

「おまえは、まるでここが居心地がいいというようなことを言うが、私が見ているかぎり、不自由は多くある。まず、思い通りの薬草が手に入らない。それで治してやれなかった病人が、何人もいるはずだ」

「そこだ、林冲。かぎられた薬草でなんとかする。それがまた、医術を磨いたりもするのだ。確かに、助けられなかった人間は多いが、人の命には決められたものがあると私は思っている。それを寿命と、人は言うのだ」

「しかし、薬草があったら、助かったかもしれないのだろう？」

「なかった。それが、その命が決められたことなのだろう」

薬草を作りながらやるそういう話の中で、林冲はさまざまなことを測ろうとした。しかし、安道全という男は、一面しか見えてこないのだった。

「林冲は、どこの生まれだ？」

安道全が、ぽつりと言った。林冲に対して、はじめて示した関心と言っていい。

「私は、金州《きんしゅう》西域のあたりで生まれたらしい。実は、両親を知らん。もの心がついた時は、山中で伯父に育てられていた。伯父は、山のけものなどを獲《と》って生計を立てていたが、私にはそれをさせなかった。槍《やり》を教えこんだだけだ」

いま思い返しても、その稽古《けいこ》は厳しかった。軍人になれ。伯父はそう言い続けていたが、なぜなのか理由はわからなかった。それを語る前に、伯父は死んだ。けものとの格闘の末、岩山から落ちての死だった。林冲が十六歳の時だ。林冲は、槍一本を担ぎ、放浪の旅に出た。伯父に厳しく躾《しつ》けられていたし、多少の学問も身につけていたので、困ることはあまりなかった。全国には、柴進のような金持がたくさんいて、槍の腕さえ立てば、食客《しょっかく》として養ってくれたのだ。槍で対峙《たいじ》して、いまだ林冲は負けたことがない。

「その伯父上というのは？」

「死んだ。私が十六の時だった」

「天涯孤独か？」

安道全の声に、いつもはない響きがあり、林冲は草の根を潰していた手を止めた。

「妻がいた。開封府でだ」

「そうか。では、奥方が待っているのか」

「妻も、死んだ。私が入牢中、首を吊《つ》って」

安道全の手も止まった。

「悪いことを、訊《き》いてしまった」

しばらくして安道全は言い、また草の根を石で叩きはじめた。

「眼の中に、心を覗いてはいけない、というような光があった。それは、絶望にも似ていた。訊いてはならないと思っていたが、親しくなったので、つい訊いてしまった」

親しくなるという気持は、安道全にもあるのだ、と林冲ははじめて思った。そういう感情を持てば、病人は診られないのかもしれない、と思っていたのだ。

「しかし、はじめて会った時とは、だいぶ違ってきている。私は、そう感じている」

「そうかもしれん。妻のことを、私は忘れないだろうが、以前にあった痛みが、少しずつぼんやりしたものになっているのだ。人とは浅ましいものだと思う」

「それが、人だと思う。いつまでも、痛みが続くということはない。躰の傷と同じだ」

「そうかな」

「私は、躰を治すことしかできぬ。しかし、心が躰を左右することはよくあるのだ。心さえしっかりしていれば、死ぬことはなかったという病人を、何人も見てきた」

「躰はしっかりしているのだがな、私は」

苦笑して、林冲は言った。

「まったくだ。林冲様の躰ときたら、なにがあっても毀れることがない」

黙って聞いていた白勝が、口を挟んだ。

「牢役人たちも、びっくりしてますぜ。みんながいやがり、駆り出されると死に物狂いでやらなければならない木の伐採を、難なくやってしまって、それから薬草捜しなんだから」

「それが、私にはよかったのかもしれない。少しでも薬草を持って戻らないと、安道全になにを言われるかわからないし」

「医術のことになると、なにも見えなくなりますからね、安先生は」

「実はそうかもしれない、と自分でも思うことはある。しかし、改めても仕方がないという気もするのだ。私は医術しかできないのだから」

「苦労してるんですぜ、これでも俺たちは」

「そうだな。次になにを言われるか、私も構えるような気持で安道全の前に立つ」

「なんでも言うさ。二人には、なにを言ってもいいと思っている」

草の根は、ほとんど潰れていた。干してあるので、水気はない。次には、これを石で擂り潰して、粉にするのだ。

ほかに、煎じるもの、葉を潰して練りあげるもの、木の皮を水に漬けるもの。薬草にも、さまざまあった。

雪の中でも、囚人の作業は行われている。丸太から板を作る作業があるし、石を切る作業もある。切った石を運ぶ作業など、冬は相当に困難をきわめるものらしい。死人が一番多いのが、石運びだった。ほかにも、さまざまなものが牢内では作られていた。林冲が割り振られている秣作りなど、石運びや木の伐採と較べると、ほとんど遊びのようなものだった。

　牢は、城壁で囲まれていた。だから、牢城とも呼ばれている。八百人いる囚人が、牢の内外で作り出すものは、相当な量になるだろう。牢役人は十数人で、ほかに監視の兵が百十名。雑用の係などは、囚人の中から選ばれる。

　脱獄するには、城壁から縄かなにかを伝って外へ降りるか、作業の途中で逃亡するか、城門を破る以外になかった。城内には櫓《やぐら》が二つあり、昼夜、そこに監視がいる。城壁の上も、兵が巡回していた。

　いつまでも、この牢城の中にいるわけにはいかなかった。しかし、ひとりで脱獄するのでは、ここへ入った意味もない。

　宋江や魯智深のことは、よく思い出した。宋江に会いたいという思いも、日ごとに強くなっている。なにより、自由に原野を駈け回りたかった。堂々と、敵とむき合いたかった。心に抱いた志は、消えていない。

　林冲は、夜ひとりになってから、小屋で縄を綯《な》いはじめた。石運びのために使われ、切れてどうにもならなくなった縄が捨てられている。それを集め、ほぐして糸にし、もう一度撚《よ》って縄にしていくのだ。

　夜を長く感じていたが、これでやることはできた。

三

阮小五《げんしょうご》は、少々硬くなっていた。

櫓《ろ》を扱う腕は落ちていないし、よく知っている水の上である。それでも、乗せているのが、晁蓋と宋江だった。

山寨《さんさい》には近づけない。魚がいることはわかっているが、どこからか見張っていて、すぐに賊徒の船が襲ってくるのだ。

「釣れないなあ、宋江」

二人は、竿《さお》を出している。餌《えさ》にしている蚯蚓《みみず》を、さっきから取られてばかりだった。合わせ方が悪い、と阮小五は思った。あとひと呼吸早く竿をあげれば、魚はかかっているはずだ。

「ほんとうに釣れない。場所が悪いのではないのかな」

「それに、さすがに水の上は寒い」

「これで水に落ちたら、ほんとうに寒いだろうな、晁蓋」

「おまえは水が苦手だと言っていたな」

「誘ったのがおまえでなかったら、こんな季節に釣りなどするものか。おまえは、西渓《せいけい》村《そん》の供養塔を、担いで谷川を渡ったそうだな。重たいものだったのか?」

「足が、土にめりこんで抜けなくなる。何度も、そうなった」

「しかし、泳げるのだな、晁蓋は。だから谷川に踏みこむこともできたのだろう?」

宋江は泳げないのだ、と阮小五は思った。そういうことを知るのは、なんとなく嬉《うれ》しい。知っているのは、晁蓋と自分の二人だけかもしれないのだ。

「一匹ぐらいは釣れよ、晁蓋。釣りに誘ったのはおまえだ」

「のんびりしてみるのもいいかもしれん。そう思ったのだが、釣れないとなると、のんびりもしていられぬな」

「まあいいさ。私たちは漁師ではない」

それから、二人は黙ってしばらく釣糸を垂れ続けた。もう餌は付いていないということが、阮小五にはわかった。さっき竿先がちょっと動いたのだ。

それでも、阮小五は黙っていた。

「朱貴《しゅき》はどうだ、宋江?」

天気の話をするような口調で、晁蓋が言った。

「この世のありようを、多少は語り合える。それぐらいにはなったかな。呉用《ごよう》が正論を吐き続けてくれるので、なんとか話をそらされずに済む。もう、七度か八度、あの店を訪ねているのだからな」

「まだ、鄆城の小役人のままか、おまえは？」

「まあそうだが、閻婆惜《えんばしやく》が二度ばかり朱貴の女房を訪ねている。うまく話を流しこんだと思う。それから、朱貴の態度が変ってきたからな」

「よく、そんな妾《めかけ》を持とうという気になるな。私の妾は、とても志など語ることはできん」

「父親が、同志だった。死んだがな」

「その娘を妾にしたのか。ひどい男だ」

「それでいい。これからは、私たちはひどいことをしていかねばならん」

阮小五は、艫《とも》に立ったまま、船が流されると櫓を遣うことをくり返していた。ほとんど流れはないが、風が船を動かすのだ。

「王倫《おうりん》は、やはり駄目か？」

「わからんが、私はそう思う。山寨に潜りこませた者が、あとは判断するしかないだろう」

「豹子頭《ひょうしとう》林冲か。いつ、滄州の牢城から戻るのだ？」

「それほど遠くない。どこかで、林冲の声を感じる。もうすぐ戻る、と言っているように聞える」

不穏な世情を作るということに関しては、やれることに限界があった。いくら役所を襲おうと、五十騎なのだ。三百の守兵がいるところは、襲えない。阮小五が晁蓋のもとに戻ってから、五度ほどの襲撃をしているが、せいぜい百名の護衛がいる輸送隊か役所が標的だった。

これ以上無理だということは、晁蓋も感じているはずだ。

塩の道の方は、うまくいっているようだ。北への道も、作られている。盧俊義《ろしゅんぎ》は、官軍にちょっと叩かれたぐらいでは、消滅しない複雑な道を作りあげていた。

二人は、決起の時機を測っているのだろう、と阮小五は思っていた。それがどういうかたちになるのかは、想像がつかない。

「山寨には、三千人か」

「そのうちの、何人を残せるかだろう」

「鍛え直せば、かなり残せると思うぞ、晁蓋。もともと、あそこに加わった動機は純粋な者が多いのだ」

「水軍も要《い》るな。そっちは、阮三兄弟がいる。任せれば大丈夫だろう」

自分のことが、語られている。しかし、この二人は、まだ奪《と》ってもいない梁山湖の山寨について、どうするか語っているのだった。奪る方法を考える方が先だろう、と内心阮小五は思ったが、無論口にしなかった。語る必要のないことは、無駄に言葉を遣ったりはしないのかもしれないのだ。

「とりあえず、あの山寨だな」

「やはり、官軍は相当に強力だ、宋江。弱点と蔑《さげす》まれる禁軍の中にも、童貫《どうかん》の軍がいる。官軍のすぐれた将軍を、こちらに引きこむこともしなければならんな。むこうの力は減り、こちらの力は増える。戦より有効だというのが、呉用の考えだ」

「それは聞いたし、間違いでもないと思う。ひとりでも二人でも、と私は思っている」

「宋江、おまえが書き記したものがあったな。実は、あれの木版を作らせた。これからは同志だけでなく、広く民の間に流布させようと思っている。無論、官軍の中にもだ。ただ、表題がない。それで、私がつけた」

「ほう、なんと？」

「替天行道《たいてんぎょうどう》」

聞いた瞬間、阮小五は全身が痺《しび》れたような気がした。天に替って道を行う。

「ほう、これは大上段な」

「われらは、大それたことをやろうとしているのだからな。同志も、いまはまだ数えるほどしかいない」

「それでも、あえて闘うか。いいだろう、晁蓋。いい表題だと思う」

「これからは、何万、何十万の人間が、あれを読むことになる。そしてあの山寨に替天行道の旗があがった時、その意味は、あれを読んだ人間には深く理解できる」

「これまで、長かったのかな、晁蓋？」

「どうだろうな。束《つか》の間《ま》だった、という気もする」

二人は、同じように釣糸を垂れていた。

阮小五は、もう餌などどうでもよくなった。この二人のために、死ねる。そしてその死は、意味のないものではない。

「釣れぬな、宋江」

「ああ。私たちは、どうも釣りが下手なのかもしれん」

「下手か」

「漁師にはなれぬぞ」

二人の、低い笑い声が交錯した。

しばらくして二人が諦《あきら》めたので、阮小五は船を岸へむけた。

風の当たらない土手のところから、煙があがっていた。

阮小二《げんしょうじ》と小七《しょうしち》である。阮小五が頼んでおいたのだが、ほかに二人いた。ひとりは魯智深だが、もうひとりは知らない。

火には、大きな鍋《なべ》がかけられている。

船を降りた二人は、火に駈け寄って手を翳《かざ》した。

「魚は、どうしました。鍋で煮る用意は整っているのですが」

阮小二が言う。晁蓋も宋江もうつむいた。

「中身のない鍋になってしまうな、これは」

「嘘《うそ》をつけ。いい匂いがしているぞ。宋江、そう思わないか?」

「確かに」

「まあ、お二人に魚が釣れるなどとは期待しておりませんでしたので、小七に命じて鍋を作らせておきました」

阮小二が、鍋の蓋《ふた》を取った。濃密な匂いがたちのぼってくる。

「魚の肝《きも》の食えるところ。人間で言えば、肝の臓ですが、俺は獲った魚の肝を、壺一杯集めました。それを擂り鉢で擂り潰して、湯の中に溶かしこむのです。生臭《なまぐさ》さを消すために、香草なども何種類か入れてあります。ほかには、去年の秋に採って、干しておいた茸がたっぷり入っています。いまから、魚の切り身を入れます。一度湯を通してあります。これは、兄貴二人から伝えられた、阮家の料理です」

阮小七が、得意そうに言い、薪を足して火勢をつけると、魚の切り身を入れた。

腰かけることができる石や木などが運ばれ、七人が鍋を囲むようにして座った。

「確かに旨《うま》そうだ、これは」

宋江が言う。魯智深が、見知らぬ男を指さした。おどおどとして、その男は立ちあがった。

「薛永《せつえい》と言います。剣はそこそこ遣えるのですが、どうも人を斬ることができないらしく、薬師をしています。私と、ずっと旅を続けてきましたが、確かに薛永の薬草はどれもよく効きます」

「ほう、どこで学んだのだ」

晁蓋が、薛永に座るよう仕草で示し、言った。薛永は腰を降ろし、額に浮き出た汗を拭《ぬぐ》った。気の小さな男らしい。

「幼いころより、祖父に教えられました。剣は父に教えられましたが、自分には合っておりません。ひたすら、薬草のことだけに打ちこんできました。けものの肝や血、蛇などからだけでなく、鉱物からも、黴《かび》からも薬はできます。開封府や北京大名府や西京河《せいけいか》南府《なんふ》などには、昔からの文書が厖大《ぼうだい》にあり、それを読み漁《あさ》る旅をしておりました」

薛永は、それだけ言うと、大きく息をついた。薛永の指さきは、青黒く変色している。草の汁などでそうなるのだろう、と阮小五は思った。

「私が出会った時、腹を減らして腰を抜かしておりましてな」

言って、魯智深が大声で笑った。薛永は、ただうつむいている。

鍋が、煮立ってきた。

阮小七が、用意していた椀に二つ注《つ》ぎ、晁蓋と宋江に渡した。それから魯智深と薛永に。兄弟三人は、それぞれ自分で注いだ。

「うまい」

宋江が、感にたえないような声をあげた。味つけには、少量の塩と山椒《さんしょう》の実を潰したものを使ってあった。阮小七も、阮家の鍋が立派に作れるようになっている。

しばらくは、誰も口を利かなかった。汁を飲む音が、時々聞えるだけである。肝を溶かしこんだ汁は、どんな店でも味わえない贅沢《ぜいたく》なものだった。

「いや、生きているという感じだ。ほんとうに生きている。なあ、薛永」

魯智深が言うと、薛永は大きく頷《うなず》いた。

「ところで、武松《ぶしょう》ですが」

魯智深が、宋江にむかって言った。晁蓋も顔をあげている。

「郷里へ帰しました。どうも郷里になにか思いが残っているらしく、その方がいいと思ったからです」

「そうか。帰したか」

「その前に宋江殿に会ったりはしない方がいいと思ったので、直接に」

「武松も、そして林冲もそうだが、武術や躰の並はずれた強さとは裏腹に、どこか心に弱さを持っている。だから私は、あの二人には厳しくしてきた」

「林冲はともかく、武松は帰した方がよいでしょう。もう、旅に耐えられないという心の状態でした」

「わかった。私は厳しくしすぎたかもしれん」

「そんなことはない」

晁蓋が口を挟んだ。

「あの男は、自分が抱いた悲しみを、どんなかたちであろうと、自分で克服するしかないと思う。それができないのなら、厳しすぎるほど厳しくするしかないな」

「一度会ったのだったな、晁蓋は」

「武松の眼に宿る澄んだ悲しみは、そばにいる者にもどうにもできぬ。孤独な悲しみなのだと、私は思った」

「戻ってくれれば、と思う」

「いつでも、戻ってこい。みんな待っている。それだけは、伝えました。宋江殿の意志もそうなのだと」

「志とはまるで別のところだ、武松の悲しみは。それを克服すれば、必ず戻ってくる。それまで、武松は忘れてやれ、宋江」

「わかった。そうしよう」

宋江が、眼を閉じた。魯智深は、じっとうつむいている。

阮小五は、京兆府《けいちょうふ》で一度会っていた。素手で闘って勝てる者はいないと魯智深は言っていたが、黒い岩のような拳《こぶし》が印象に残っている。ただ、眼はやさしい男だった。

「阮小七、おまえはもう立ち直ったのか？」

晁蓋が、兄弟三人に視線をめぐらせた。

母をなくした。それで一番こたえたのは、多分阮小七だったのだろう。しばらくは、漁にも出なかったようだ。

「ようやく、母の言葉を落ち着いて受け入れることができるようになりました。死ぬ間際の言葉ですが」

「ほう、御母堂はなんと？」

「母は申しました、晁蓋様。おまえたちを生んで、ほんとうによかったと思うと」

「泣くなよ、小七。男であろう」

阮小二が言った。母の話をすると、阮小七はいまでも涙を流す。

焚火《たきび》は、すでに熾《おき》になっていた。それでも、充分に暖かい。

替天行道。

晁蓋が言った言葉を、阮小五は思い返していた。

四

囚人が、二人入ってきた。

別々に入ってきて、別々の小屋をあてがわれていたが、林冲の神経に二人とも触れてきた。二人は、中庭の通路の雪掻《か》きの作業と、営舎で暖を取るために炭を足して回る作業に当てられた。ともに、最も軽いとされている作業である。

林冲は、一日に一度秣《まぐさ》置場へ行き、周囲の雪を掻いたり、秣を適当に動かしたりしていた。置いたままにしておくと、たとえ冬でも中心のあたりが腐って熱を発するのだ。

薬草作りは相変らず続けられていたが、白勝の姿が見えなくなった。白勝の本来の作業は、牢城内の糞尿の始末のために、城壁の外に大きな穴を掘ることだった。それは毎日掘られ、毎日糞尿が流しこまれ、三日で埋められる。

開封府などでは、下水に流したり、溜《た》めこんで畠《はたけ》の肥料にしたりするのだが、滄州の牢城の周辺は荒地で、肥料もそれほど必要としていないのだった。州庁の方は、また別の始末のつけ方をしているだろう。

その作業にも、白勝はいなかった。牢役人に銭を渡して訊いてみると、房に入れられているのだという。役人の溜《たま》りから酒を盗んでいて、捕えられたようだった。寒さに耐え難かったのかもしれない、と林冲は思った。

白勝が、誰もがいやがる糞尿の始末の作業に回されたのも、以前に盗みが見つかってからだという。安道全が、薬草の作業に是非とも必要だと申し出なければ、そこから動かされることはなかっただろう。

　安道全は何度も牢役人にかけ合ったが、房から出すことはできなかった。そこは窓もなく、横になるのが精一杯で、一日に一度粥《かゆ》が与えられるだけだという。開封府の地下の牢を、林冲は思い出した。

「薬草の作業にどうしても必要だと言ったが、今度は言うことを聞いてくれない。ほかの者を使えと言うだけだ。それでも食いさがると、打たれた」

　安道全は、瘦《や》せた顔を半分腫《は》らしていた。

　相手が医者で、自分が診て貰うことがあるかもしれないので、牢役人のほとんどは、多少は安道全の無理を聞いた。しかし、そうでない者もいる。そういう牢役人にとっては、安道全はただの囚人だった。

「つまらぬ盗みをした、白勝が悪い。十日、懲罰の房に入れられるそうだ。もう六日は経っているから、あと四日で出てくる」

　林冲が持っている金から、白勝にもいくらか渡してあった。牢役人に銭を摑《つか》ませれば、酒の一杯ぐらいは飲ませてくれたかもしれない。しかし、買うより盗もうというのが、白勝という男だった。

「雪でも顔に当てていろ、安道全。ひと晩は、痛むぞ」

「こんなことは、なんでもない。私は、営舎と房を回らなければならないのだ」

営舎にも房にも、病人はいる。それを、毎日診て回り、手当てをしたり、薬を与えたりするのだ。白勝を出さなければ、営舎を回らない、という取引の発想は、安道全にはないようだった。病人は病人。ほんとうの医者は、そう考えるものなのだろう。

病人で死んでいくのは、当然ながら囚人の方がずっと多かった。牢役人は暖かいところで寝て、食べものもずっといいのだ。

使いものにならなくなった縄の屑《くず》を集め、一度ほぐして撚り直すことは、いまも続けていた。夜の作業だが、開封府の地下牢にいた時から夜眼が利くようになっていて、わずかな星明りでも、雪明りでも、作業に支障はなかった。床下に隠した縄は、もうだいぶ長くなっている。

しかし、安道全を脱獄に誘うきっかけは、相変らず摑めなかった。

ようやく、白勝が懲罰の房から出された。

林冲は、牢役人を通して肉を買い、白勝に届けた。銭は、定期的に柴進から差し入れられていた。一度に大枚の銭を持つと、大抵牢役人にたかられる。

二人の囚人は、やはり林冲の神経に触れた。どことなく、見張られているような気分があるのだ。それに二人とも、身のこなしに隙《すき》がなかった。相当に、腕は立つ。

何者なのかは、考えなかった。こちらから近づくことも、避けた。刺客ならば、いずれ襲ってくるだろう。

武器と言えるものは、三つに斬った剣の、一番長いものを持っているだけだ。それはおよそ二尺（四十四センチ）で、刃だけはよく斬れるように研ぎあげられている。木片で鞘《さや》を作り、林冲はそれを躰から離さないようにしていた。

死んだ囚人が五人、外に運び出されていくのが見えた。安道全が、唇を噛《か》みしめて立ち尽している。死なせたことが、くやしいのだ。

薬草作りに白勝を使うことは、やはり許されなかった。

「白勝が病だ、林冲。昨夜、腹痛でのたうち回ったらしい」

わざわざ林冲の小屋まできて、安道全が言った。

「診たのか？」

「いや、病棟に移された者しか、診ることはできん。さっき、牢役人が嗤《わら》いながらそう言っていたのだ。白日鼠の腹の中が腐っているとな」

「そうか、病か」

「なんとか、白勝を診てやりたいのだが」

「そのうち、病棟に移されるだろう」

「牢役人に嫌われすぎている。病がひどくなるのを、放置しておくことも考えられる」

めずらしいことではなかった。病棟が一杯になれば当然放置するし、気に入らない者もまた同じだ。白勝にはいくらかの銭を持たせてあり、それを使えば、病棟行きということになるはずだった。白勝は、銭を使うことを惜しんでいるのかもしれない。ありそうなことだった。

「なんとかしてくれ、林冲」

「俺は、牢役人ではないのだぞ、安道全」

「わかっているが、おまえに頼むしかない。病がどういうものか、診れば私も安心できる」

「頼むのか、おまえが？」

「そうだ」

「白勝は、なんなのだ、おまえにとって？」

「わからん。しかし、飢えていた私に、食物を運んできてくれた。仲間のちょっとした怪我を治してやったぐらいでだ。小さな小屋だが住むところも見つけてくれて、薬草を売る手伝いもしてくれた」

「それは知っているが、ここは牢なのだ、安道全。恩義を返したければ、別のかたちを取るしかない」

「恩義などではない。白勝が苦しんでいると考えると、耐えられなくなるのだ。おまえがそうなっても、同じだと思う」

「つまり、友か」

「私は師を持ったことはあるが、友を持ったことはない。友がどういうものかも、わかっていない。ただ、白勝のことが気になって仕方がないのだ」

「それは、友だからだ、安道全」

いままで、見たことのない安道全の一面だった。

安道全は、はじめて白勝という友を持ったのだろう。小盗っ人であるというのは皮肉だが、安道全にはなんの関係もない。友だちを持ったという心の状態を、どう扱えばいいか戸惑っているのだ。

そして自分もまた、いまは友として受け入れられはじめている。

白勝ならば、脱獄ということにそれほどの抵抗は示さないだろう。そして白勝と自分の二人で安道全を誘えば、脱獄に同意するかもしれない。

ちょっとした盗みをやらせるだけではない、白勝の使い道が見つかった、と林冲は思った。

「なんとかしてみよう、安道全。必ず病棟に移せる、と約束はできぬが」

「頼む。そのためなら、私はなんでもやろう」

「おまえは、なにもしなくていい。できもしないだろう。病棟に移った白勝の、病を治してやるだけでいいのだ」

「ほんとうに、なんとかしてくれるのか、林冲？」

「できるかぎりだ。いいか、われわれは囚人なのだ。思ったことが、なんでもできるわけではない。理不尽な死さえも、受け入れなければならないのだ。それがいやなら、牢を出るしかない」

「わかった」

脱獄という言葉など、安道全の頭には浮かばなかったようだ。

林冲は、手持ちの金をすべて遣って、牢役人への工作をはじめた。難しいことではなかった。誰もが、金には弱い。

翌日、白勝は病棟に移され、安道全はそれを聞くと飛んでいった。

吹雪になったが、林冲は作業に出た。秣を動かして、熱を持たないようにしてやらなければならないのだ。作業はいつも二人でやるが、もうひとりが見当たらなかった。

吹雪でも、中庭の作業は行われていた。頭や肩に雪を積もらせた囚人たちの列が、黙々と石を曳《ひ》いて行く。

秣置場は、牢城の隅にあり、そこには秣の山が四つあった。いつも、人の気配はない。しかし林冲は、あるはずのない人の気配を、肌のどこかで感じていた。

吹雪で、視界が遮られるほどだ。城壁さえも、はっきりとは見えない。しかし、誰かがどこかにいる。

林冲はいつもの通り、木の棒で秣の上の雪を払った。細い棒で、とても武器になるようなものではない。秣を動かすのも、その棒である。ある程度時が経つと、秣は押し潰し、四角い塊《かたまり》にするのだ。それは、軍営に運ばれる。

林冲は、秣に積もった雪を払い落とすのに、いつもより時をかけた。殺気がある。間違いなく、自分を狙《ねら》っている。高俅《こうきゅう》がさしむけた刺客というのがこれか。しかし、どこにいるのだ。四つの山の雪を払い落とすと、林冲は両手に息を吐きかけた。殺気が強くなる。さりげなく、林冲は腰の小剣に手をやった。

不意に、吹雪の中に枯れた草が飛び散った。秣の中から、男が躍り出してきた。頭上である。林冲は、とっさに雪の中に身を投げ、転がった。次の瞬間、立ちあがる。剣。打ちこまれてきている。避けられるか。考える前に、林冲は雪を蹴《け》っていた。かわし、同時に小剣を横に薙《な》いだ。手応《てごた》えの結果を見る前に、林冲は再び雪に身を投げた。もうひとりが、別の秣の山から跳躍してきているのだ。二撃目、三撃目をはずし、林冲は立ちあがってようやく息を吐いた。

男は、剣を低く構えていた。隙は見えなかった。見えなければ、作るのが隙。王進が、よくそう言っていた。横に、林冲は駈けた。相手も走る。近づき、跳び退《す》さり、もう一度近づいた。相手が、跳び退さっていた。吹雪の中で、お互いの息が白い。それは、雪とは違う白さだった。軽く、林冲は呼吸を整えた。

相手の剣は、長い。同じ打ちこみなら、相手の剣が届き、林冲の小剣は空を斬る。それでも、林冲は雪の中を踏みこんだ。打ちこみ。小剣で弾《はじ》き飛ばしてかわし、擦《す》れ違うように駈けた。相手の首から、血が噴き出していた。

もうひとりも、やはり首を断っていた。うつぶせに倒れているが、雪が血を吸ったのか、赤い色はわずかしか見えない。

「秣と一緒に、腐っていけ」

呟き、林冲は秣の中に屍体を放りこみ、隠した。

二人とも、いい腕だった。やはり、高俅が送りこんできた刺客だろう。争闘の場は、すでに降りしきる雪が隠しつつある。

刺客とはいえ、囚人として送りこまれた二人だった。夕刻になれば、囚人が二人消えたことを、牢役人の誰かが気づく。林冲はしばらく思案した。

ちょっと離れた林の中に足跡をつけ、城壁に、小剣で足場になるような穴を二つ穿《うが》った。それだけで、牢役人たちが気づくかどうかわからない。林の木を一本斬り倒し、枝を払って壁に立てかけた。これで、脱獄の形跡と思われるはずだった。脱獄は、死罪である。

すべて、眼の前すら見えなくなるような、吹雪の中でやった。

小屋へ戻ると、林冲はしばらく考えこんだ。二人の屍体はすぐには見つからないにしろ、自分の脱獄をいつまでも延ばすわけにもいかなかった。あの二人が刺客だと知っている人間が、牢役人の中に必ずいる。

夜毎《ごと》、撚り直した縄は、すでに充分な長さがある。ひとりだけで脱獄するのは、たやすいことだった。しかし、それならこの牢獄に入った意味もない。

雪の中を、駈けてくるような気配があった。害意はない。小剣にのばしかけた手を、林冲は途中で止めた。

「大変なのだ。どうしよう」

安道全だった。いつもの冷静な表情ではなく、ひどく取り乱していた。

「なにがあった。白勝が死んだか？」

「そうだ。いや、このままだと、白勝は遠からず死ぬ」

「そんなに、ひどい病だったのか？」

「下腹の一部が、腐っている。腸だ。膿《う》んだところが破れれば、それで死ぬ。腹を切開して、その部分を切り除くしかないのだ。私はこれまで、同じ病を十度以上見てきた」

「白勝は死ぬのではなく、腹から膿んだ腸を取り出せば、助かるのだな。いつまでに、それをやればいい？」

「できるだけ、早くだ。破れたら、手遅れなのだから。いますぐにでも」

「無理だ、安道全。われわれは囚人なのだ。やりたいことが、すぐにできるわけではない。第一、おまえが刃物を持っていることが牢役人に知れたら、医師としてなにかやることは禁じられ、懲罰の房に入れられる」

「しかし、放っておけば、白勝は死ぬのだぞ」

「仕方があるまい。方法は、脱獄しかない。この牢城の外でなければ、おまえがやりたいことはできないのだ」

「脱獄」

「こんなことがなくても、私はいずれ脱獄するつもりであったがな」

安道全が、土間に座りこんだ。両膝を抱え、呟き続けている。言葉は聞き取れなかった。

「脱獄できるのか、林冲？」

「私ひとりなら」

「白勝を伴わなくて、なんの脱獄の意味がある？」

「おまえと私で白勝を担いで脱獄するとして、逃げおおせるかどうか自信はない」

「逃げおおせるかもしれないのだな？」

「そんな賭《か》けはしたくないな。私ひとりなら、楽に逃げられるのだ」

「林冲、おまえはなにを、友だち甲斐《がい》のないことを言っているのだ。恥を知れ。自分ひとりが逃げようなどと。私は、白勝を連れて三人で逃げたい。そして、白勝の病を治してやりたい。死ぬならば、三人一緒だ。それが、友というものだろう」

「わかった」

林冲は、苦笑した。どこかに忸怩《じくじ》たる思いもあった。友というものに対して、自分がこれほど純粋であり得たことがあるのか。

「安道全。病棟へ行って、白勝に告げてこい。私が今夜迎えに行くと。三人で、脱獄する。今夜だ。逃げおおせた先で、おまえは白勝の病を治してやれ」

「わかった。おまえが、私と白勝を脱獄させてくれるのだな、林冲？」

「必ず。命に代えよう。それが、友情というものだ」

「これから、病棟へ行ってくる。死にかかっている囚人がひとりいるので、行くのは難しくないと思う」

「白勝に告げたら、すぐに戻れ。今夜、騒ぎが起きるかもしれないが、じっと私が行くのを待つのだ。できるな、安道全？」

「私は、友であるおまえに、すべてを預けることにする」

安道全は、腰をあげ、林冲の小屋を出ていった。

騒ぎが起きたのは、陽が落ちてからだった。夜の点呼で、二人が消えていた。脱獄した形跡も見つかった。林冲の小屋にも、牢城の守兵が現われたが、明りで照らし出しただけで、すぐに消えた。

二刻（一時間）待った。その間に、追跡隊が組織され、出動していったようだった。牢城の守兵は、極端に少なくなっている。多分、二十人もいないだろう。それに、牢役人が十数名。

林冲は、小屋を出て、病棟へ行った。病棟の監視もいなかった。気配を感じたのか、白勝が上体を起こしていた。

「ほんとに来てくれたんですね、林冲様。安先生に言われていましたが、ほんとうだとは思いませんでした」

「これからが、賭けだ、白勝」

林冲は、白勝を抱き起こした。なんとか、自分で歩ける程度の状態だ、と判断した。もの音をたてないように注意しながら、病棟を出る。見咎《みとが》められることもなく、安道全の小屋にまで行き着くことができた。

「一刻後に、迎えに来る。着られるものは、みんな着ていろ。大事なものは持ってもいいが、できるだけ少なくしてくれ」

「ここで、白勝の腹を切開できないか、林冲？」

「無茶を言うな。二人とも、明日は死罪になっている。だから賭けようとしているのではないか」

「切開って、腹をか。冗談じゃねえよ、安先生。俺は、外に出られれば薬も手に入るだろうと思って、脱獄を承知したんだ。腹なんか、切られたくねえ、いやだよ」

「だから、脱獄するんだ、白勝。つらいだろうが、耐えて貰うぞ。一刻後に、迎えに来る」

白勝が頷いた。

林冲は、自分の小屋に帰った。縄と小剣。着るものが一枚あったので、それを着た。ほかには、以前から隠れて干して、貯蔵してあった干し肉。三人で食うと、一回分だろう。

外へ出て、走った。吹雪はやんでいて、月明りがある。しかし、雲の動きは速いようだ。城壁の下を、身を隠しながら走った。巡回はいつやるかわからない。非常時で、牢城に残った兵はみんな城門の脇の営舎に集まっているようだ。

かねてから決めていた場所を、もう一度確かめた。このあたりの地理、柴進の屋敷や別荘の位置は、地図を見せられた時から頭に刻みこんである。

小屋へ戻った。人の気配がした。ひとり。安道全が、待ちきれなくなったのか。戸を開けると、男が立っていた。牢役人のひとりだった。

「話がある」

男が言った。秣置場で死んでいる二人が刺客だということを、知っているのはこの男だろう。なにか、話し合う余地がある、と考えているのか。それなら、金か。

「おまえが、二人を殺したのではないのか？」

林冲は黙って相手を見つめた。

「俺は知っている。脱獄などはしていない。いずれ、牢城のどこからか屍体が出るはずだ。黙っていてやらんでもない、話によってだが」

「喋《しゃべ》ってもいい」

林冲は跳躍していた。男の首筋から、血が噴き出し、しばらくして男は倒れた。

「喋ることができればだ」

呟くように言い、林冲は縄を肩にかけ、干し肉の袋を腰に縛りつけた。外へ出て、駈ける。やはり、人の姿はなかった。

「行くぞ」

安道全の小屋の戸を開け、林冲は言った。

安道全が、白勝を抱きかかえるようにして立たせた。とても、走るのは無理なようだ。城壁まで、普通に歩いて行くしかなかった。

城壁は、林冲が白勝を担いで登った。

思った通り、櫓からは死角ではないが、見えにくい位置だった。縄を垂らす。

「しっかり摑まっていろ」

小柄な白勝を背負い、まず林冲が降りた。下は雪が深く、腰のあたりまであった。星と月の位置を見て、林冲は歩く方向を決めた。ようやく、安道全が下へ降りてきた。それを確かめると、林冲は白勝を担ぎ、歩きはじめた。腰まである雪を、まるで泳ぐような恰好《かっこう》で進んだ。そのあとを、安道全がついてくる。すでに、呼吸は荒くなっていた。

風が強い。また雲が来て、雪が降るかもしれない。そうなれば、逃亡の痕跡《こんせき》も雪で隠される。二刻ほど歩いて、ようやく森に入った。積雪が多少ましになり、張り出した枝にさえ気をつければ、歩きやすかった。

林冲の全身は、汗にまみれていた。牢城から一番近い柴進の別荘まで、二十四里（約十二キロ）ある。地図の上で測ってのことだ。実際には、三十里は歩かなければならないだろう。

時々、背中で白勝が呻《うめ》きをあげる。懸命に歩いた。雪がないところを歩くより、四倍も五倍もの力が必要になる。安道全が座りこむ。そのたびに、林冲は叱咤《しった》した。

夜明けが近くなった。村があったが、そこは迂回《うかい》して避けた。頭の中にある村の位置と、変ってはいない。牢城から、せいぜい十里というところだ。さらに、四刻歩き続けた。背中で、白勝の躰が痙攣《けいれん》したように硬直し、力が抜ける。それが、何度かくり返された。周囲は、もうすっかり明るくなっている。やがて、また雪が来そうな雲行きだった。

「待ってくれ、林冲」

「ここは気力をふり搾《しぼ》るところだぞ、安道全」

「違う。白勝の様子を、少し見させてくれ。さっきから、痛みに襲われ続けているようだ」

林冲は、雪の中に白勝を降ろした。白勝のそばに駈け寄る時だけ、安道全の動きは機敏だった。安道全の指さきが白勝の腹に触れると、悲鳴に近い呻きがあがった。

「このままだと、腹の中に膿《うみ》が回る。ここで切開するしかない」

「待て。それはいくらなんでも」

「もう、限界だと思う。なにもない。しかし、刃物が二本と、針と絹糸はある」

「安先生、それに林冲様。俺はもういいです。ここに、置いていってください。俺の腹の中は、腐っているんです」

「なにを言っている。まだ、間に合う」

「お二人には、感謝してます。言葉じゃ言えねえや。こんなにして貰えて死んでいけるなら、生まれてきた価値もあったってもんです」

「おまえは、私が必ず助ける」

「いいんですよ。二人で、逃げてください」

安道全が、腰に巻いた袋から、刃物を取り出し、林冲の方を見た。

林冲は頷いた。白勝は、額にびっしりと汗の粒を浮かべている。ここが限界だというのは、ほんとうなのだろう。ならば、最後の試みを安道全にさせてやりたかった。追手が迫っているという気配は、いまのところないのだ。

「よし、安道全。どういう状態が欲しいのか言ってくれ」

「風が当たらないところ。私が膝立ちで、白勝の腹がこの位置にくる台」

安道全が、両手を出した。

台など、あるはずもない。林冲は両手で雪を掘って穴を作った。掘った雪を周囲に積めば、風は当たらないだろう。穴の底に、雪を固めて台を作った。白勝の呻きが聞える。

下半身を裸にした白勝を、担いでその台に載せた。

「林冲、おまえの自慢は、力だけだな。はじめのうち、白勝は暴れると思う。馬乗りになって、絶対に腰が動かないように押さえつけてくれ。口には、木の枝かなにかを咬《か》ませるのだ」

腹を切り開くのである。並大抵の痛みではないだろう、と林冲は思った。白勝と逆むきで馬乗りになる。両手で、腿《もも》を押さえた。

「白勝、私を信用しろ。言うのは、それだけだ」

木の枝を咬ませ、安道全が言った。

いきなり、白勝の腹に刃物が入れられた。腰骨と臍《へそ》の間ぐらいのところだ。白勝が咬んでいる枝が、ばりばりと音をたてているのが聞えた。思ったほど、血は出てこない。安道全の手が、めまぐるしく動く。白勝の全身から、力が抜けた。それでも、林冲は白勝の躰を押さえ続けていた。

「これだ」

安道全が呟く。白い、卵のようなものだった。また、手がめまぐるしく動いた。いつの間にか、その卵が切り取られ、針が動き、傷口が塞《ふさ》がった。

「これは、ほんとうは小指の先より小さい腸の端だ。破れなかったのが、不思議なほどだな。林冲、あとは白勝の運次第なのだが、傷には布を当てていたい。なにかないか？」

いつもの、安道全の言い方だった。布など、あるわけがない。仕方なく、林冲は着ているものを一枚脱いだ。

「傷は、縫ってあるのか？」

「当たり前だ。開かないように、細かく縫った。寒いのだけが、幸いだよ。刃物の消毒もなにもしていないのだ。ただ、そういうものに勝つ力が、人間の躰の中にはある。白勝が、それをどれだけ持っているかだ」

「ここにいるわけにはいかないぞ、安道全。凍え死ぬ。とにかく歩くが、その前にこれを食え」

干し肉を二つに割った。白勝は食べものも水も駄目だ、と安道全が言ったのだ。肉を貪《むさぼ》り食った。また、雪が降ってきている。やがて吹雪になりそうだった。

歩きはじめた。肩に担いだ白勝は、まだ気を失ったままだ。手術をした時の機敏さが嘘のように、安道全は息を切らせ、遅れた。

五

自分がなにをしているのか、林冲にはわかっていなかった。

夜が来て、昼が来て、また夜が来た。その間、ただ歩き続けた。吹雪である。肩には、白勝が載っている。いや、白勝だけではなかった。安道全もだ。両肩に、二人を担いでいた。

二人は、死んだのか。なぜ担いでいるのか。

夜が明けた。吹雪は続いていた。張藍。ふと思った。おまえにむかって、私は歩いている。しかし、足が重い。見えているのに、おまえは近づいてこない。いや、見えてはいないのか。

家。叫び声。誰かに見つかった。見つかった方がいいのか、見つかるべきではないのか。わからなかった。ただ、歩いた。肩が、軽くなった。自分は死んだのだろう。だから、躰が軽くなったのだ。しかし、死とはこんなものなのか。

眼を開いた。

口から、躰に熱いものが流れこんできた。死んでも、なにも起きることはないのか。土に還《かえ》るのが死だ、と林冲は思っていた。自分は土に還ったのか。土でも、なにか考えることはあるのか。

また、眼を開いていた。今度は、なにかが見えた。人の顔。口に、なにかが流れこんできた。躰が、さらに熱くなった。

そこで不意に、林冲は自分が死んでいないことに気づいた。

「どこだ、ここは？」

上体を起こそうとしたが、肩を押さえられた。

「私だ、林冲。柴進だ。わかるか？」

「柴進だと？」

「そうだ」

「私が担いできたのは、柴進ではない。安道全と白勝だ」

「そうだ、おまえは安道全ともうひとりを担いで、三日雪の中を歩いてきた。思い出せ。おまえは牢城を脱し、二人を担いで歩いたのだ。一番近い別荘はやり過ごし、辿《たど》り着いたのがこの屋敷だった」

安道全が、足を挫《くじ》いた。思い出した。歩けなくなった安道全を、左肩に担いだのだ。

「柴進」

「なんだ、林冲？」

「なにか、食わせろ。腹が減った」

柴進が、はじけるような笑い声をあげた。

粥を啜《すす》りこみ、羊の肉に食らいついた。躰が、さらに熱くなってきた。

「二人は、どうした？」

二皿目の肉に入った時に、林冲はようやく思い出して言った。

「安道全は、足を挫いてはいるが、無事だ。白勝は、熱を出している。それをいま、安道全がつきっきりで看《み》ている。私の屋敷にあった薬は、すべて出している」

「追手がかかっていると思う」

「滄州は、いま大騒ぎだ。何人かが牢城で死に、三人が脱獄したのでな。しかし、吹雪で軍は機敏に動けないようだ。この屋敷までのおまえの足跡も、吹雪で消えてしまっている。しかし、雪の中で腹を裂き、腫れものを取り出すとはな」

「それが、安道全という医者だ」

二皿目の肉を平らげると、林冲は酒が欲しくなった。

「どれぐらい、私は眠っていた？」

「夕刻に、屋敷に入ってきて、倒れた。それでも、熱い湯やら粥やらは、少し口に入れた。それから眠り続け、いまは翌日の午《ひる》過ぎだ」

「そうか。私は、安道全を連れて鄆城へ行かなければならないのだが」

「いまは、詮議《せんぎ》が厳しい。この屋敷にいるかぎり、安全だと保証しよう。それに、白勝の容体が落ち着くまで、あの医者も動かないと思う」

酒を飲みはじめた。

この間、ここで飲んだのは、滄州へ護送される途中だった。あの時と較べると、自分は確かにどこか変った。なにが変えたかはわからないが、心のある場所が違うという感覚に包まれている。

翌日から、林冲は庭で棒を振っていた。

白勝の様子を見に行ったりもしなかった。運次第。安道全は、そう言ったのだ。命に縁があれば、白勝は生き延びるだろう。

「そろそろ、みんなが動こうとしている。おまえは、いい時に牢城を抜けてきたと思う。宋江殿には、すでに使者を出した。密州から北へむかう塩の道もできたし、あとはもう動くしかないのだ」

「塩の道は、そんなに複雑にのびたのか、柴進？」

「なにしろ、われらの兵站《へいたん》の最も重要なものだからな。盧俊義という男は、あれで緻密《ちみつ》なところがある。まず崩されることはない、と私は思っている」

「魯智深は、相変らずかな？」

「そう聞いている。花栄《かえい》とは、塩の道のことで、いまはしばしば会っているし、戴宗《たいそう》の飛脚は、便利に使わせて貰っている。私は、おまえが晁蓋殿と会う時が愉《たの》しみだ」

「全国に、人の網を拡げる。それが、宋江殿のやろうとしていたことだった。晁蓋殿とも合体して、人は揃《そろ》ったということか」

「これから、さらに集まる。そのためには、誰にも見える場所が必要だ。晁蓋殿も宋江殿も、梁山湖《りょうざんこ》にある山寨にしたい、と思っている。まず、誰かがその山寨に入らなければならんな」

「それなら、私かな。あの山寨は、盗賊の巣だろう。世直しなどと一応は言っているが、やっていることは、盗賊だ。その中に紛れこむのは、私のような男が適当だ。開封府で人を斬り、滄州でも三人殺し、脱獄して追われている、私のような男がな」

「まあ、宋江殿も、そう考えていると思う」

「安道全を脱獄させたのだ。それと較べると、大したことはあるまい」

「それほどだったのか、安道全は？」

「人の病を治すことしか、頭にない。それがすべてだった。だからつけ入る隙もなかった。白勝に対する友情という心の隙間を、ようやく見つけられたのだ」

「変り者の狷介《けんかい》な男だと、噂《うわさ》は聞いていたが」

「きわめて人間らしい部分を、その底に持っている。いろいろあって、私も人を見るようになったのかな」

それから五日、白勝の熱は下がらなかった。

林冲は、杖《つえ》をついている安道全と何度か顔を合わせたが、なにも言わなかった。いま、白勝は、自分の運と闘っている。

熱が下がりはじめたと、柴進が林冲に知らせにきた。林冲は、柴進の家人に棒術の稽古をつけていた。

八人全員に、一斉に打ちかからせる。それでも、瞬時に打ち倒してしまう。ほかにも家人は多くいたが、こわがって稽古をしようとはしなかった。

「もう、峠は越えたのだな？」

「よく闘った、と安道全は言っていた。これからは粥などもロにできるので、急速に体力は回復するそうだ」

「ならば、もういいのか、安道全を鄆城に連れていっても」

「行ける、と言っていた。おまえが行けというところなら、どこへでも行くと。白勝の方は、しばらく私の屋敷で預かろう」

「手癖が悪いぞ」

「私も、そういうところは甘くない」

出立するまでに、それからさらに二日かかった。滄州内の街道の安全を、確認していたのだ。

滄州を出るまでは、柴進の家人の中に紛れこんでいた。臨時に設けられた関所も、柴進を先頭にすると、難なく通過できた。

「また会おう、林冲」

別れ際、柴進はそう言った。

馬二頭で、南へむかう。安道全の馬の乗り方は覚束《おぼつか》なくて、駈けることはできなかった。林冲にしては、のんびりした旅である。

「ひとつ、言わなければならないことがある」

二日目の宿に落ち着いた時、安道全が言った。

「私も白勝も、一度死んだ。おまえがいなければ、間違いなく死んだのだ。私たちの命は、おまえに預けるべきだと思う。それから、礼を言わねばならない」

「なにを言っている。私はごめんだ。もう、おまえの命など預かりたくはないな。散々に手間をかけさせるやつだからな。おまえには、人の命を救うという仕事があるだろう」

「行った先でも、医師を続けていいのか？」

「そのために、連れていくのだ。柴進の話によると、腕のいい薬師もいるらしい。牢城の中のように、くやしい思いをしなくても済むぞ」

「そうか、私は医師でいられるのか」

「おまえは、医師でしかいられない」

南へ行くにしたがって、雪は少なくなってきた。安道全の馬の乗り方も、ようやくさまになって、時々は駈けたりもした。

梁山湖に続く街道に入った。やがて、梁山湖も見えてくる。林冲の躰の中で、血が駈けめぐった。久しぶりだ。心も、躍っている。

丘の頂《いただき》に、馬が二頭いた。遠眼でも、それが誰だか林冲にはわかった。

駈け降りてくる馬にむかって、林冲も馬腹を蹴った。浅黒い顔。もうひとつは、赤銅色に光った頭。馬の鼻息が白い。

「やっと帰ってきたか、林冲」

宋江が、馬上から叫ぶように言った。魯智深は、雄叫《おたけ》びをあげている。

「戻りました、宋江殿。安道全という、偏屈な医師を伴って」

「おまえには、苦労をかけた。私を恨みもしたであろう」

「まさか」

宋江の眼から、涙が流れていた。魯智深は、細い眼をさらに細くして、笑っている。
宋江の手がのびてきて、林冲の手を握った。
しっかりした、温かい手だ、と林冲は思った。

（第一巻　曙光の章　了）

解説

北上次郎

北方水滸伝が与えてくれる興奮については何度も書いてきた。したがってこれまでの繰り返しになるかもしれないが、今回は総集編ということで許されたい。なにしろ、完結したときには「本の雑誌」の新刊ガイド見開きを、興奮のあまり、北方水滸伝だけで埋めてしまったほどなのである。この新刊ガイドはもう三十年近く担当しているが、新刊を五〜六冊とりあげるのが通例であるにもかかわらず、その号は「日本大衆小説の最高峰　北方謙三『水滸伝』がついに完結」と題して、ハナからケツまで北方水滸伝のみ。こんなことはこの三十年間で初めてだ。しかもそのとき、「中里介山《なかざとかいざん》、白井喬二《しらいきょうじ》から始まる日本の大衆小説八十五年の歴史は、この長編を生み出すためにあった、と言っても過言ではない」とまで書いてしまった。書いた本人がびっくりしていてはいけないが、我ながらすごい賛辞だ。しかしここは、第一巻が出たときの興奮から始めたい。そのほうが、この全十九巻の凄《すご》さが浮き彫りにされるだろう。

北方水滸伝の第一巻を読んだときの驚きは、今も新鮮である。最初はおやっと思った。

武術師範の王進《おうしん》が物語から退場しないのである。原典の中国版では王進は都を離れ、旅の途中で九紋竜《くもんりゅう》の史進《ししん》と出会い、そのまま表舞台から退場していく。二度と王進は物語に登場しない。つまり、この武術師範は九紋竜の史進を物語に出すための役まわりにすぎない。ところが北方版では、その後の王進は山に入り、田を耕している。梁山泊《りょうざんぱく》の連中が全国をまわっているときに乱暴者と出会うと、この王進のもとに送り込むのである。すると王進が武術を教え、王進の母が礼を教える。つまり再教育するのだ。で、人間的成長を遂げると梁山泊に送り込む。そういう教育機関として王進は物語にずっと登場し続ける。

この段階で北方謙三の意図を知らなかったので、私、ぶっ飛んだ。何なんだこれは！　その驚きをわかっていただくためには少しだけ遠回りしなければならない。まず、中国版の「水滸伝」は民間説話が集大成されたもので、その編者は施耐庵《したいあん》とも羅漢中《らかんちゅう》とも言われている。各種のテキストがあるが、その完成度から主に七十回本、百回本、百二十回本の三種にわけられる。百回本はそのまま百二十回本に組み込まれているから、実のところ、七十回本と百二十回本の二種といっていい。七十回本の編者は金聖嘆《きんせいたん》といって、ようするに梁山泊に好漢たちが集まってくるまでを描く。対する百二十回本は、その後帰順し、梁山泊軍が賊を討伐する側にまわって滅んでいくまでを描く。金聖嘆の七十回本に対する幸田露伴《こうだろはん》の批判は有名で、たしかに小説としてのロマンは百二十回本のほうにあるものの、七十回本の銘々伝としての面白さも捨てがたいから難しい。

しかし問題は、七十回本にしても百二十回本にしても、どちらも不自然な物語であることだ。二百数十年に渡って語り継がれてきた民間説話なので、中国版は「ヘンな物語」なのである。人物のキャラクターがはっきりしないし、バランスも悪く、物語として壊れているといってもいい。銘々伝とはいっても名ばかりの登場で、その挿話が語られない人物も少なくないのだ。九紋竜の史進も最初に登場するだけで、活躍の場を与えられないが、こういう人物は他にもたくさんいる。たとえば最大の謎《なぞ》は、リーダーの宋《そう》江《こう》だ。この男がなぜ梁山泊のリーダーなのか、さっぱりわからない。まったく魅力のない人物といっていい。

我が国に、吉川英治《よしかわえいじ》『新・水滸伝』があり、柴田錬三郎《しばたれんざぶろう》『われら梁山泊の好漢』があることにも触れておきたい。その他にもたくさんの日本人作家が「水滸伝」の翻案を手がけているが、代表的なものとしてはこの二作があげられる。そしてこの二作ともに、中国版に忠実な翻案ではないことも書いておかなければならない。その詳細な比較については以前も書いたのでここには繰り返さない。ようするに、細かな部分の変更は随所にある。無味乾燥な翻案ではけっしてない。ところが細かな部分の変更はあっても、この二作ともに大筋では中国版を変えていないことに留意。たとえば人肉茶屋のシーンが顕著だが、吉川版ではそのディテールを省き、柴錬版ではそのまま描きながらも説明を加えることで、どちらもその残虐性を中和させているが、そういう処理はするものの、その本筋は変更していない。この偉大な二人の作家が、なぜ大筋を変えなかったのかは推測の域を出ないが、それはあまりに膨大な作業を必要としたからではなかったか。それくらい、中国版は矛盾や不自然な箇所が多く、直しようがないのである。不自然な箇所を直すなら徹底的に中国版を解体しなければならない。一から書き直さなければならない。それには、時間と筆力と勇気が必要になる。

北方謙三『水滸伝』の凄さは、それをやってしまったことだ。中国版「水滸伝」を徹底的に解体し、最初から作りなおしたのである。再構成、という域をこれは遥《はるか》に超えた作業であり、いまの北方謙三の筆力なくしては成しえない偉業だろう。驚嘆すべき力技といっていい。王進を物語から退場させないのは、まだまだ序の口なのである。

梁山泊のリーダー宋江を女好きの人間として登場させていることに注意。女色には興味のない人間をまったく正反対の人間にするのだから、施耐庵もびっくりだ。しかしそのおかげで、宋江がなぜ梁山泊のリーダーなのかという「水滸伝」最大の不自然さも解消される。すこぶる人間的な男として浮かび上がってくるのだ。魯智深《ろちしん》も同様だ。中国版ではただの陽気な乱暴者にすぎないが、北方版では思慮深いオルガナイザーに変えるのである。こうして梁山泊の男たちを一人ずつ、血と肉を与えて蘇《よみがえ》らせる。このキャラクター造形の妙が、北方版の大きな魅力の一つである。

もう一つは物語の背景だ。梁山泊軍にはたくさんの人間が集まっているからその食料が必要になる。村を襲ってしまっては民の共感が得られない。そこで、闇《やみ》の塩ルートを梁山泊軍が牛耳《ぎゅうじ》っているとの設定にするのだ。中国版の百二十回本にも、李立《りりっ》の弟分である童威《どうい》と童猛《どうもう》が闇の塩商いをやっているとの記述が出てくるが、それは数行にすぎない。北方版ではそれをどんどん膨らませて、詳細な闇ルートを作っていく。つまり経済の問題をきっちりと背景に置くのだ。となると政治の問題が浮上するのも当然で、それが青蓮寺《せいれんじ》。これはある種の諜報《ちょうほう》機関で、李富《りふ》や聞煥章《ぶんかんしょう》など青蓮寺の連中が梁山泊と対立することになり、物語に政治的な緊張が生まれてくる。お断りしておくが、中国版にこの青蓮寺は登場しない。政治と経済をこのように背景に置くことで、好漢たちの理想と現実政治との対決、という構図が鮮やかに浮かび上がる。

第三は、青蓮寺の例で明らかなように、中国版にない人物、組織をどんどん物語に放り込むこと。中国版の不自然さは、キャラクターを変え、背景を作りなおすだけではまだ払拭《ふっしょく》できず、ついには新しい挿話、新たな人物を必要とするのだ。徹底的に解体し、再構成するということはそういうことでもある。この北方謙三の独創こそが本書を屹立《きつりつ》させているのだが、ホントにすごい。その筆頭が楊令《ようれい》だろう。楊令は楊志《ようし》が拾ってくる少年との設定で、もちろん中国版には登場しない。後半に重要な役割を担うことになるこの少年の造形が北方版の白眉《はくび》。つまり楊令を登場させることで、「水滸伝」は閉じない物語になったということである。次の世代が登場すれば、戦いにも希望が生まれてくる。この楊令を主人公にした続編が書かれるらしいが、北方版「水滸後伝」が書かれるというのは嬉《うれ》しい。中国にも「水滸後伝」はあるが、おそらく北方版「水滸後伝」は北方水滸伝がそうであるようにその原型を遠く離れ、オリジナルな展開をするはずだ。その名も「楊令伝」。なんとも楽しみではないか。

最後になるが、戦闘描写の迫力についても触れておきたい。中国版では脇筋《わきすじ》にすぎない祝家荘《しゅくかそう》の戦いの迫力を見られたい。北方版では脇筋が脇筋でなくなるのだ。これだけでも十分なのだが、もちろんこれだけではない。最後の二巻、すなわち第十八巻と第十九巻は、まるまる梁山泊軍と禁軍《きんぐん》の戦いに費やされるが、そのダイナミックな戦いのディテールは圧巻。これは全部、北方版のオリジナルで、中国版にはない。いやはや、すごい。

かくて、林冲《りんちゅう》の虚無、武松《ぶしょう》の孤独、そして多くの男たちの夢が、鮮やかに描かれていく。おっと、美点の四を忘れてた。キャラクターを変え、背景をきっちりと作り直し、新たな挿話を作ることで、つまり北方謙三の力技によって、「水滸伝」は初めて自然な物語になったのである。これは何度称賛されてもいい。私たちの読みたかった「水滸伝」がついに誕生したのだ。これが水滸伝なのか、本当に水滸伝なのかと第一巻を読んだときの書評に書いたものだが、あれほど驚いたことはない。吉川版の中国語訳も出ているというから、この北方版もいずれは中国語訳が出るかもしれないが、もしそうなったら、これが「水滸伝」だったのかと中国の読書人はびっくりするのではないか。読書を愛するすべての人に、いまこの北方水滸伝を薦めたい。読書の至福がきっとあなたを待っているはずだ。私はそう信じる。

この作品は二〇〇〇年十月、集英社より刊行されました。

北方謙三

破軍の星

南北朝の動乱期、わずか十六歳で奥州制圧を成し遂げた北畠顕家。逆臣・足利尊氏討伐を目指し、疾風のごとく京へのぼる。猛き貴公子の生涯を描く長編。第四回柴田錬三郎賞受賞作。

集英社文庫

集英社文庫

水《すい》滸《こ》伝《でん》 一 曙光《しょこう》の章《しょう》

2006年10月25日 第1刷

定価はカバーに表示してあります。

著 者 北《きた》方《かた》謙《けん》三《ぞう》

発行者 加 藤 潤

発行所 株式会社 集 英 社

東京都千代田区一ツ橋2—5—10

〒101-8050

(3230) 6095 (編 集)

電話 03 (3230) 6393 (販 売)

(3230) 6080 (読者係)

印 刷 凸版印刷株式会社

製 本 凸版印刷株式会社

造本には十分注意しておりますが、乱丁・落丁（本のページ順序の間違いや抜け落ち）の場合はお取り替え致します。購入された書店名を明記して小社読者係宛にお送り下さい。送料は小社負担でお取り替え致します。但し、古書店で購入したものについてはお取り替え出来ません。

Printed in Japan

ISBN4-08-746086-X C0193